TOPAZE

Marcel Pagnol in 1929   *Photo: H. Roger Viollet*

MARCEL PAGNOL

TOPAZE

Pièce en quatre actes

Edited with an Introduction and Notes by
DAVID COWARD Ph.D.
Senior Lecturer in French Language and Literature,
University of Leeds

MODERN WORLD LITERATURE SERIES

HARRAP LONDON

First published in the French language 1930
This edition first published in Great Britain 1981
by HARRAP LTD
19–23 Ludgate Hill London EC4M 7PD

Reprinted: 1981

Introduction & Notes © *D. A. Coward* 1981
Text © *Marcel Pagnol* 1930

ISBN 0 245-53370-2

Typeset by Servis Filmsetting Ltd, Manchester
Printed in Great Britain by
Biddles Ltd, Guildford, Surrey
Bound by
Western Book Co. Ltd of Maesteg, Glamorgan

CONTENTS

INTRODUCTION

Marcel Pagnol (1895–1974), dramatist, film-maker, journalist, member of the French Academy, autobiographer and novelist, was a leading figure in the popular culture of France for nearly fifty years. He sprang to prominence with *Topaze* in 1928 and until his death retained the large following which he had built up with a succession of plays, films and stories which caught the mood of the Provence he loved. His easy humour and amused tolerance rarely failed to evoke an enthusiastic response in theatre audiences and cinemagoers everywhere.

From the outset, however, his stance as an entertainer set him at odds with the literary establishment which preferred a more cerebral approach to writing. Much of the literature of the twentieth century in France has been dominated by a marked tendency towards philosophy, or at least towards ideas. The ideas have been social, political, metaphysical, even abstract, but have always been to the Anglo-Saxon eye the sign of that intellectualism which is synonymous with 'Frenchness'. Pagnol had no philosophical axes to grind and he remained content to stay within the limits of the territory occupied by the 'well-made play' (*la pièce bien faite*) and what used to be called, rather contemptuously, 'middlebrow art'. This is not to say that Pagnol had no ideas. He began his career as a savage critic of the society in which he lived and to the end, with growing mellowness, he broached important moral issues modestly and obliquely. But independent and ever mistrustful of abstract ideas and intellectual pretension, he showed no taste for systematic philosophy.

Accordingly, for most of his career, he was rather patronisingly dismissed by many as the amiable Voice of

Provence, a sentimentalist who measured artistic success in terms of box-office receipts. Looked down upon by the professional critics for his commercialism and popular appeal, Pagnol remained true to his talent to amuse. He continued to think of himself primarily as an entertainer – a recommendation in his vocabulary – who nevertheless accepted the duties of a moralist whose business was to remind us of those simple values which are constantly endangered by the materialism and sophistication of modern society.

As an entertainer, he was on occasions guilty of pandering to popular taste by exploiting mawkish emotional responses and it is difficult not to be suspicious of his stunning facility which even surprised Pagnol himself. Yet he never lost sight of high literary ideals which are evident not only in the scrupulousness of his style but also in his careful craftsmanship. Moreover, there is in his work what might loosely be called a 'philosophical' unity. He was fascinated by the problem of innocence which he treated with compassion, humour and more than a touch of stoicism.

Topaze brought Pagnol the overnight success which he had been working towards since the days of his youth at Marseilles. To understand Topaze, an innocent who comes to terms with the world, it will help to look into his creator's background.

1. FAMILY BACKGROUND

Marcel Pagnol was born on February 28 1895 at Aubagne (Bouches-du-Rhône) ten miles to the east of Marseilles. His maternal grandfather, Guillaume Lansot, a Norman by birth and a shipwright by trade, had settled in the Midi in the 1860s. He was still young when he died of yellow fever in South America where he had been sent to repair the engines of a French steamship. He left three children: Henri, who followed his father into the *Ateliers des Forges et Chantiers* at Marseilles; Rose, who is "la tante Rose" of Pagnol's *Souvenirs d'Enfance*; and Augustine, who worked as a seamstress before marrying Joseph Pagnol at the age of nineteen.

Joseph was the fifth of the six children of a stonemason from Valréas, near Orange, where the family – probably of Spanish origin, since traces of Lespagnols and Spagnols are to be found in the municipal archives – had for centuries worked as armourers and, more recently, as makers of paper and card. Pagnol's grandfather was a skilled artisan and, after the death of his wife, he raised his family according to the strictest principles. A man of small learning (he could sign his name and read a little), he determined that his children should receive a good education and take up decent professions. By the time Marcel was born, his "tante Marie" was already headmistress in charge of an elementary school at La Ciotat and Joseph had qualified, in 1888, as a primary school teacher.

Joseph fully lived up to his father's expectations by gaining a place at a teacher training college – the *école normale* at Aix-en-Provence – where he obtained good grades in the cherished *brevet d'études supérieures* which guaranteed him a job in the primary sector of education. Although the newly qualified *instituteur adjoint* could normally expect to serve for lengthy periods in small village schools before progressing slowly towards better paid posts in the larger towns, Joseph's first posting was to Aubagne. In 1898, he was promoted, and the family moved to Saint-Loup in the suburbs of Marseilles itself where in 1904 he was appointed to l'École du Chemin des Chartreux, the largest of the city's elementary schools. As an *instituteur titulaire,* his salary was increased and he became a respected figure in the community. He was able to supplement his income by collaborating with a colleague who wrote geography textbooks.

Meanwhile, his family was growing. Paul was born in 1898. He was followed by a sister, Germaine, in 1903 and, in 1910, by a brother, René, who was to become Marcel's business manager. Though far from being comfortably off, the Pagnols were contented and Marcel had the inestimable advantage of a happy childhood. But there were difficult times. Paul was handicapped and Augustine's frail health gave out after the birth of René. Marcel felt her death deeply, but the tragedy bound the survivors even more closely together.

Pagnol's delightful *Souvenirs d'Enfance* say little of events which cast shadows over these early years and instead celebrate a childhood filled with jolly uncles, mothering aunts and days of play which seemed to go on forever but always had to end at bedtime. In 1903, when Marcel was eight, Joseph and Rose's husband (who was a deputy chief clerk at the Préfecture) took a summer lease on a villa high in the hills above the village of La Treille. It was the start of an annual pilgrimage which, undertaken initially for the sake of Augustine's health and for the children, was to be the source of the lasting enchantment which Pagnol was to relive in writing his autobiography[1]. It was a time of adventure and discovery and the beginning of a lifelong love affair with the burnt Provençal landscape.

In many ways, the Pagnols were typical of the profound social changes which, by the end of the nineteenth century, were already transforming the substructures of French society. The older generation of artisans was giving way to a new breed which found a niche in the ranks of the lower professions. Pagnol was to carry the process a stage further by becoming a successful man of letters – and he was by no means an exceptional case. The *milieu d'instituteur* was a new forcing ground from which talents hitherto hidden by the traditional social divisions now began to emerge. Writers as different as Jules Renard, Charles Péguy and Alain-Fournier were born into it as were many doctors, lawyers and other professional men and women. Georges Pompidou, who was to become President of France, was of their number. Pagnol's generation always looked back gratefully upon the Third Republic for opening educational opportunities to a section of the population which up to that time had been consistently neglected.

The emergence of a new generation of able minds was

the product of the slow process of democratisation which is discernible throughout the nineteenth century. But it was the provision of free, secular and compulsory education in the 1880's which did more than anything else to encourage energy and intelligence. Many bright children of poor parents were able to seek social advancement through scholastic achievement. Education was respected in its own right, but in the lower reaches of the social scale it was seized upon as the only reliable method of achieving success and dignity. Pagnol's grandfather set great practical value on it and called it "le Souverain Bien". He made sure that his children availed themselves of an opportunity which he himself had been denied. Pagnol's father was proud of his education and spent a lifetime extending its benefits to the children in his care. Marcel was put through a well-planned schooling and became a teacher like Joseph before him. His plays, films and novels project an image of the teacher which clearly owes much to his past: Topaze is but one of a large company. But Pagnol derived more than a handful of characters from his background which centred upon school and which automatically assumed that education was a moral force and a great liberator. Many of Pagnol's unconscious attitudes are rooted in the *instituteur* mentality – though he himself was a university graduate – and they will only be clear when we understand the struggles of which Joseph's generation considered itself the privileged beneficiary.

2. PAGNOL AND THE *INSTITUTEUR*

The expression *l'institution des enfants* was already in widespread use in the sixteenth century. It meant simply the instruction and training of the young. It was not until 1792, when the French Revolution voted to accept Condorcet's education bill, that the term *instituteur public* appeared on the statute book.

Napoleon was no less convinced than the Revolutionaries that if citizens were to discharge their civic duties, then the State should provide a minimum of education. But though he brought the higher and secondary sectors under the control of the government, he left primary education in the hands of local administrations, which in effect meant the Church. Little in the way of academic training was expected of the first *instituteurs* and the *certificat de bonne vie et mœurs* was considered to be more important than the *brevet élémentaire* which was, in principle, required of entrants to the profession after 1816.

In time, however, training colleges were set up in every *département* (in 1833 for men, in 1879 for women) and the number of schools grew. Although pay and conditions improved slowly, the *instituteur* and the *institutrice* were ill-used. But as the profession grew more attractive, even peasant fathers made considerable sacrifices so that their sons might enter the *école normale* and proceed to a respected career which guaranteed regular employment, long holidays and comparatively agreeable working conditions. During the second half of the century, 80,000 new primary school teachers were recruited and by 1890 they numbered 143,000.

The history of the *instituteur* is dogged by the politicking which surrounded the whole question of education in the nineteenth century. The reactionary elements in society continued to predict that the spread of learning would bring general ruination: with the access to knowledge, the poor would become discontented and disrupt the plentiful supply of cheap and docile labour on which agriculture and industry depended. The Church consistently opposed the introduction of a State monopoly in education which would surely lower moral standards and weaken the nation's moral fibre. On the other hand, the liberals and humanists insisted that the State had a clear duty to educate the proletariat and slowly they began to prevail. The numbers of children in elementary education in France rose from 2.9 millions in 1840 to 5.5 millions in 1895.

During the same period, the *écoles normales* grew more efficient. Entry was competitive – by examination – from the *école communale,* but only pupils who passed the hurdles of the *certificat d'études primaires* (at age 12) and

the *brevet élémentaire* (at age 15) were allowed to stay on
for an extra year which prepared them for college entry.
The three year teachers' course was a mixture of literature, history, geography, mathematics, science and education, and successful *normaliens* emerged with the *brevet
supérieur*. The disadvantage of the system was that it
tended to encourage in-breeding. Its products had atten-
ded primary school until the age of sixteen ('primary'
meant a level of instruction, not an age division), then
proceeded to the primary-angled *école normale* and returned to work in a primary school. But though they had
no experience of the more challenging secondary level,
students at the training colleges developed great pride in
their calling. For the son of working class parents to
become an *instituteur* represented a triumph for his family
and for his village or *quartier*. It was this mood of
enthusiasm which was exploited in Jules Ferry's education acts in the 1880s and by Ferdinand Buisson, the
architect of primary education in France.

Buisson, a Protestant and a radical republican, was
committed to the dissemination of social and moral hu-
manism through the medium of education. His views
amounted, in his celebrated phrase, to "une foi laïque"
His approach was anti-clerical. He had no wish to destroy
religious faith, but sought to promote a non-
denominational ethic based on spiritual values. He set out
to wrest the instruction of the poor from the Church which
closed more minds than it opened. Even devout *normaliens*
felt able to embrace his concept of *laïcité* and they resisted
attempts by the Church to control their teaching methods
and programmes. Under Buisson's lead, they relegated
Catholicism to a minor place in the classroom and insisted
that God was best served by following the dictates of
conscience and a simple moral code based on honesty, hard
work and consideration for others.

Though this anti-clerical stance implied a range of
radical political attitudes, most *instituteurs* remained
outside politics, and their political role in the shaping of
the Third Republic has been much exaggerated. They

supported the republican ideal, of course, but their greatest impact was in social matters. Emerging themselves from the ranks, they could fully believe that education was a wonderful thing because it changed people's lives. Their optimism was contagious and their results earned them growing respect. Education for them did not simply mean teaching the three R's and handing out a few certificates, but improving the lives of their pupils. They took social problems seriously and did what they could to correct abuses. They spearheaded a concerted attack on alcoholism and brightened their drab classrooms with coloured pictures of diseased livers. They campaigned for a programme of public hygiene designed to improve the general standard of health by simple instruction in the need for cleanliness. In mining areas, they explained the properties of firedamp and in villages they introduced new agricultural knowledge and sometimes even methods. They spread ideas to sections of the population which had neither the leisure nor the learning to understand the wider world which, through the growth of government and the rise of modern industry, was at last beginning to affect ordinary people. It was at this level that the *instituteurs* saw themselves as missionaries impelled by a high calling to improve the moral and material lives of their charges. Some were incompetent and lazy, but it is quite clear that the majority carried out their duties scrupulously and with a sense of participating in a great social experiment.

Though Ferry's laws had confirmed the high value which the Republic set upon their work, the *instituteurs* would have preferred a more tangible recognition than the fine words of the politicians. Their parents had scraped and saved to send them through college and when they emerged, it was to be sent to a village school where they earned less than most agricultural labourers. It was galling to discover that ex-pupils, rarely better qualified than they were, received higher wages in junior positions at the post-office. It might take the *instituteur adjoint* a dozen years to reach the average wage of the unskilled worker and in the meantime he was expected to set an example of uncomplaining industry and outward respectability. Though salaries rose periodically, the *instituteur* of Joseph Pagnol's vintage still had to think twice about marriage and counted on the extra cash earned copying documents or clerking at the town hall. He found promotion slow, lived in dread of *Monsieur l'Inspecteur* and was often bullied by his headmaster who expected him to mark his scripts, weed his garden and even black his boots.

But there were other, more subtle difficulties to overcome. The working-class *instituteur* found himself socially isolated. Intellectually the superior of the poor, he was the social inferior of the bourgeoisie. The older professions looked down on him, the Church regarded him as a threat and the peasantry, while respecting his knowledge and role, resented his 'clean' job and regular wage. In a village dominated by the *curé*, he might be denounced from the pulpit; in a commune with a radical mayor, he was expected to proclaim his allegiance to anti-clerical republicanism. The struggle between left and right was often waged at grass-root level over his person, and though the rivalry between the *curé* and the emancipated primary school teacher was a much-used source of comedy in plays and novels, the reality could be painful indeed.

By the turn of the century, however, the barriers were coming down. The teachers were unionised in 1901, a political step which marked a change of mood in the profession. Many of them now turned away from Buisson's "foi laïque", interpreting his values of sobriety and industry as a conspiracy designed to perpetuate the middle-class ethos of the Republic. The concept of *laïcité* gave way to new philosophies – materialistic progress, science and various left-wing credos – so that in the period immediately preceding the Great War, the main impetus of primary school teaching sprang from what might loosely be called "socialism" – the rights of man, the concept of social justice and the meritocratic ideal. After 1918, however, the *instituteurs* tended to grow more and more insular, parochial and narrowly conservative. But if the 'secular' content of their teaching changed, the old 'faith' remained intact and the primary teachers participated in new crusades as fervently as their predecessors had championed Buisson's moral values.

Joseph Pagnol was very much a product of the *instituteur* ethos. In him, high principles co-existed with an advanced sense of vocation, though he was saved from pomposity by his easy good humour. He was no intellectual, as Pagnol makes clear[2], and he remained faithful to the raw anticlericalism and republican ideals which he had absorbed at the *école normale* at Aix. He stood for personal probity and social justice, though he was not a very political animal. He was neither 'un morceau d'État' nor an electoral agent masquerading as a teacher nor even a consistent opponent of the establishment – though he enjoyed denouncing governmental folly:

> J'adorais ces conférences politico-sociales de mon père, que j'interprétais à ma façon, et je me demandais pourquoi le Président de la République n'avait jamais pensé à l'appeler, tout au moins pendant les vacances, car il eût fait en trois semaines le bonheur de l'humanité.[3]

Pagnol remembered his father with a mixture of admiration and irony.

From the *Souvenirs d'Enfance,* Joseph emerges as a figure of romance, a superman whose character and beliefs are exploited for their comic and sentimental value. His quarrels with his brother-in-law Jules, a Catholic civil servant with right-wing views, are a rich source of comedy but do not obscure his genuine radicalism. A vociferous opponent of the Church, he believed in science which was both an antidote to superstition and a power for good which would make the world a better place. To his pupils at Saint-Loup, he announced the coming of marvels which would change the face of society – electric light, gas, motor-cars and the telephone "qui permettrait de parler –

sans crier – à des personnes qui seraient à Aubagne ou à Saint-Marcel". But science would not merely bring comforts, it would end war. The perfected machine-gun was a weapon so horrible that "aucun gouvernement n'osera commencer une guerre qui ne pourrait aboutir qu'au plus terrible des carnages"[4]. The Great War was to prove him wrong and it took Joseph many years to accept what servicemen in the trenches learned quickly: that between idealism and the real world there exists a yawning chasm.

But at the turn of the century, Joseph could believe in Justice, man's goodness and reason which, through the spread of educational opportunities, would secure the future happiness of mankind. Progress would be slow and orderly and proceed by argument and the democratic principle. For, to his radicalism, he added a range of quite conservative views. He had a deep respect for property and the law. He was patriotic in the pride he took in France's cultural heritage and saw no contradiction between patriotism and his anti-militarist pacifism. He accepted and enjoyed the status which went with the honours accorded him by the educational hierarchy, because such honours were the reward of merit. He was, in sum, a moderate republican with a strong respect for authority and traditional ethical values: hard work, the family and moral integrity.

In retrospect, Pagnol was to make gentle fun of his father's generation of primary school teachers who thought themselves so modern and emancipated. Yet however limited, naive and parochial their ideals were later to seem, it is clear that Pagnol both respected and admired them. He was proud of his own humble origins – he kept his grandfather's hammer as a paperweight, a treasured souvenir of time past – and in particular openly acknowledged his debts to his father. Indeed, the spirit of Joseph looms large in his work where he represents stability and fundamental moral consistency. If Pagnol's instinct was towards patriarchalism, then Joseph is accountable for much of it. If he had an unfeigned, even snobbish regard for academic achievement, his father may be held partly responsible. If he mistrusted abstract intellectualism and preferred knowledge that may be usefully applied, then Joseph's practical common sense is at the root of it.

A cursory reading of the plays, films and stories reveals large numbers of fathers – and very few mothers. Like César in the celebrated "trilogie marseillaise" (*Marius, Fanny* and *César*), they are headstrong, sometimes mistaken, but always fiercely idiosyncratic and sympathetic. The mould from which they are cast is consistent, for they are all innocents: each seeks to impose simple justice upon a world which does not always agree to be just. This is not to say, of course, that Pagnol simply transposed his father into fictional situations, but it is evident that he found in Joseph a versatile moral stance which he exploited with warmth and irony. Pagnol had a half-romantic, half-critical view of his father (as he had of Provence and its people), but he never ceased to respect what he stood for.

It is hardly surprising therefore that the teacher should figure prominently in Pagnol's work. Chronologically, the teachers actually precede the fathers, who do not come into their own until *Marius* (1929). Grandel, a minor figure in *Les Marchands de Gloire* (1925), Blaise, the professor of *Jazz* (1926) and Topaze all share a deep vocation for teaching and a commitment to high ideals which do not survive exposure to the harsh light of reality. At the outset of Pagnol's career, it is in the teacher that the limits of idealism and innocence are most frequently tested.

But though Pagnol was attracted by aspects of the *instituteur* ethic, he did not accept its standards uncritically. His preoccupation with simple values derived ultimately from the home atmosphere and his strong motivation to succeed clearly reflected the *instituteur*'s belief in social and economic advancement through hard work. But his experience of the secondary and higher sectors of education, his wider knowledge of the world and his highly developed sense of irony set him apart from Joseph's homespun philosophy (money is the root of all evil; virtue is worthy of the praise of just men, etc). Though he maintained an attitude of protective tolerance to such ideas, he was unable to accept Joseph's political views or his anti-clericalism, nor could he believe that society is run according to the principles of justice and fairness. Pagnol regretted that society was organised by predators for predators, but observation and experience taught him that such is the way of the world. An anecdote which he told after his father's death neatly catches both the distance between them and the bonds that held them together.

When Joseph finally brought himself to seek promotion, Marcel offered to use his contacts with well-placed off-icials to make sure he was given the appointment which he so richly deserved. Joseph was horrified by his "corrupt" suggestion and told him not to interfere. Marcel, wiser in the ways of the world, made a telephone call and learned that while Joseph headed the list of candidates, an influential local councillor on the appointing committee favoured another applicant who, though ranking fourth in ability and experience, was certain to get the job. Pagnol insisted that justice be done. When Joseph rang some time later triumphantly announcing his success, he pointedly reminded Marcel that the deserving need no favours. Pagnol accepted the reprimand and never told his father that without his 'corrupt' intervention, virtue would not have prevailed. In many ways, this incident sums up much of Pagnol's general attitude to the characters he created. Without condescension, without delivering moral ver-dicts, he frequently rescues them from the errors of their trusting natures.

Pagnol never lost faith with his father, though there were many moments when he saw the limits of his unsuspecting rectitude. From him, he derived a lasting interest in a narrow range of moral ideas, foremost among which was the conflict between innocence and corruption, between idealism and the forces which are eternally hostile to what is right. It would be a mistake to call him a cynic, though his scepticism was strong. He admired idealism but also acknowledged that life conspires against idealists. His first explorations of the conflict between them are quite savage protests against the precariousness of virtue. But his tolerance grew with time and his Provençal tales sympathise with the defeated and rejoice with those who survive intact. In the last analysis, Pagnol was a stoic resigned to an acceptance of what life doles out – for good or ill – to every human being. Which explains why, after his initial reaction of anger, he never set up as a reformer or posed as our conscience. He remained content to reflect what is and took heart whenever the opportunity arose. Pagnol taught; he refused to preach.

3. THE MAKING OF *TOPAZE*

In 1905, Pagnol left his elementary school on the strength of a scholarship which took him to the Lycée Thiers where he received the same kind of traditional academic education as was offered by the more noted British Grammar Schools. He was happy there and his results were good enough to permit him, in 1913, to become a member of the *classe de philosophie* where he duly embarked upon a programme of advanced study designed to ensure entry to higher education. He left school in 1914 and studied for a degree in English at Montpellier University, supporting himself in the meantime first as a *maître d'internat* (supervising pupils during breaks and prep) and then as a *répétiteur d'anglais,* or junior master in charge of first forms. He graduated in 1916 and taught English at Tarascon, Pamiers and Aix before returning in 1920 to the Lycée Saint-Charles, an annexe of his old school at Marseilles.

Although he was to look back with affection upon his schooldays, the young Pagnol regarded his teaching career with something less than enthusiasm. Teaching was a living rather than a vocation and he used it to finance grander ambitions. From an early age, he had determined to become a famous and successful writer. While still at school, he had written a quantity of verse and several of his poems were published in a local newspaper. In 1912, he began work on a verse tragedy and in November

1913, together with a number of like-minded *lycéens,* he founded a kind of undergraduate arts magazine which was to occupy much of his time and energy during the next dozen years.

Fortunio[5] took its name from a character in *Le Chandelier* (1835), a play by Alfred de Musset (1810–57) who was greatly admired by Pagnol and his friends. In his flamboyant Romanticism, they found echoes of their belief in youth, the greatness of art and the duty to live life to the full. The same taste for heroic gestures and noble self-sacrifice drew them to the plays of Edmond Rostand (1868–1918), who also hailed from Marseilles. His dashing manner – and startling success – captured the imagination of these young men in a hurry. But though their idealism was both intense and sincere, it was neither grave nor intellectual. They had reacted against the colder values of the Parnassian school of poetry and its insistence on technique and impersonality, and turned instead to the more rousing effects of emotion and melodrama. They took their mission seriously but were saved by a spontaneous sense of fun.

Fortunio printed poems, stories, reviews and articles concerning the arts in general. Pagnol contributed pastoral verses which drew heavily on the classical tradition of Virgil, told artful and rather sentimental stories about friendship and youthful idealism, and as a reviewer he set up as a fearless champion of Art against the commercialism which, he proclaimed, was undermining literature itself. As the magazine's editor, business-manager and mainstay, Pagnol served his apprenticeship as a writer. Eventually, however, he came to believe that the *Fortunio* group could achieve no more as long as its base remained in Marseilles – though in fact *Fortunio* was to become the influential *Cahiers du Sud* in 1925. He proposed a move to Paris but his suggestion met with little enthusiasm. When, in 1922, he was offered a post as *répétiteur d'anglais* at the Lycée Condorcet, one of Paris' most famous schools, he seized the opportunity and travelled to the capital to seek his fortune.

When Pagnol arrived in Paris in the autumn of 1922, he found a city still recovering from the aftermath of the Great War. Beneath the surface gaiety generated by jazz music and the 'flappers' lay deep uncertainties about the future. The economy was slow to revive and political divisions heightened the tension. War veterans returned to find not so much a land fit for heroes as a life of unemployment and frustration. Traditional moral values came under fire. The newspapers, themselves far from above suspicion, carried news of scandal at the highest level. It was a period of demoralisation and readjustment, a decade of insecurity which bred cynicism in public and private life.

Essential economic measures were blocked or delayed by the owners or manipulators of wealth. When attempts were made to increase taxation, for instance, capital mysteriously moved abroad, thus provoking a series of crises of confidence. It was said that France was ruled not by its elected representatives but by "les deux cents familles", an élite of powerful business and property interests, which constituted "un mur d'argent" barring the way to stated government policy. Some progress was made after 1926, but it took much longer to restore the confidence of the public at large whose suspicion of financial 'arrangements' was confirmed by frequent and spectacular revelations of shady dealings.

Of course, the Third Republic was no stranger to scandal. In the 1890s, the involvement of a number of public figures in the collapse of the Panama Canal Company tested the regime's stamina to the full. Towards the end of its life, the aftermath of the Stavisky affair brought France to the brink of civil war in 1934. The 1920s were fat years for the clever operator – in 1924, for instance, 4 billion francs in Defence Bonds disappeared in mysterious circumstances – and the more outrageous swindles, like the Oustric scandal, were given maximum publicity. Oustric, the son of a provincial café proprietor, made large sums of money by speculating in bad stock. In 1926, he acquired the support of a highly respected cabinet

minister who sheltered him from the scrutiny of the
Treasury. The 'affaire' broke in 1930, bringing accu-
sations of corruption which were by then all too familiar.
On Christmas Eve 1928, a former Minister of Justice was
arrested for passing bad cheques and the same year the
massive swindles of Mme Hanau came to light. Attempts
to end her nefarious activities were hampered by her
contacts with senators, ministers, the press and elected
members of parliament. It took seven years of highly
publicised effort to bring her to justice. It was an age in
which sinners prospered and only the careless got caught.

The corruption and sense of demoralisation which
figure strongly in Pagnol's first plays was therefore very
much the reflection of a social reality. This is not to say, of
course, that France was totally overcome by a spirit of
decadence and moral bankruptcy. The public at large
greeted the latest revelations with an unimpaired sense of
outrage, while in intellectual matters the highest standards of French culture were perpetuated by four writers of
enormous stature: Proust, Valéry, Claudel and Gide. In the
theatre too, there was a positive mood and the workshop
theatres of the avant-garde movement renewed the means
and themes of dramatic expression[6]. These *ateliers* or
Studio Theatres experimented with techniques and offered
bright intellectual challenges to the more progressive
theatregoers. For more traditional audiences, there were
the commercial Boulevard theatres which continued to
entertain, sometimes to provoke, their predominantly
middle-class customers with well-made plays written
around conventional subjects and contemporary issues.
Less exalted and much more keenly aware of financial
pressures, the *boulevardiers* amused their public with
comedies and dramas; they satirised social pretension and
always wrote of love – romance, lovers' quarrels and the
eternal triangle.

Boulevard theatre was despised by the avant-garde as
'théâtre digestif' (after-dinner theatre), a sop to the cultural snobberies of the middle-classes. It is true that the
Studio theatres were intellectually more exciting and

historically more significant. Yet the well-made *boulevard* play at its best broached important moral and social issues in a serious and responsible manner. Many expressed bitter reservations about the Great War and its aftermath, while others attacked graft in public life, the spirit of gross materialism and the decline of ethical standards. There was a revival of the *comédie rosse* which showed virtue unrewarded and vice unpunished, a cynical comment on a cynical age. Boulevard playwrights had many faults. They were often facile, usually verbose and, in spite of their claim to be the heirs of the realistic tradition, their plots were frequently implausible (hinging on a convenient loss of memory, or eleventh hour reprieves for falsely accused heroes) and the characters they created tended to have more to do with theatrical precedent than with life. But at their best, they both educated and entertained.

The distinction between Boulevard and Studio theatre was not always clear, however. A writer like Jules Romains crossed the lines without undue strain. *Knock, ou le triomphe de la médecine* (1923), a play which is traditionally linked with *Topaze* as best satirising the cynicism of the twenties, was received as a biting attack on modern society. Knock, an ambitious medical man, convinces the inhabitants of the small community where he has come to practise that "tout bien portant est un malade qui s'ignore". Playing upon his patients' gullibility, he is very quickly able to affirm that at ten each morning, large numbers of people, blinded by science and cowed by their fears, will reach for their thermometers and take their temperatures. Knock is a tyrant and his medical interests are a metaphor for a wider tyranny. His success is a warning against the creeping standardisation of society and its openness to attack by the baser ideologies: in another setting, Knock would be the leader of an aggressive religious sect or the political dictator (already on the move in Italy and Germany) who gains monstrous power by stirring popular fears. In a comic trilogy featuring the naive Monsieur Le Trouhadec, Romains pursued the theme of public gullibility. In the first instalment, a "conte cinématographique" (1920) which was performed as *Donogoo* in 1930, M. Le Trouhadec, a mediocre geographer, describes in error the non-existent city of Donogoo-Tonka in his latest publication. His image is inflated by a slick publicity campaign and very quickly money begins to pour in from investors eager for a share in the gold deposits on which the imaginary city stands. Once the financial operation begins, settlers arrive and the fictitious Donogoo-Tonka takes shape and eventually prospers. Its success is the result of a cleverly managed mistake and the town adopts "L'Erreur scientifique" as its municipal motto. Jules Romains, more inventive than most, combined serious ideas with a genuinely popular appeal. His example, together with that of a number of playwrights who set out to amuse as well as to instruct, was not lost on Pagnol. He had arrived in Paris with his belief in the greatness of Art more or less intact; it was not long before he began to feel the pull of the Boulevard.

Whenever he could, he took time off from his teaching duties to familiarise himself with the latest developments in the living theatre. He continued to write reviews for *Fortunio* and now started to contribute to *Comœdia,* a dramatic daily. He began archly by denouncing the spirit of commercialism which had invaded the arts in general and the theatre in particular, and yet the plays he praised tended to be not the avant-garde novelties but the well crafted box-office successes of the better *boulevardiers.* He was happy with established favourites like Georges de Porto-Riche and Sacha Guitry, but the greatest influence, as he was later to admit, was that of Henri Becque (1837–99), the champion of naturalist drama.

The twenty-fifth anniversary of Becque's death fell in 1924 and revived interest in his work. His best known play, *Les Corbeaux* (1882), chronicles the decline of a middle-class family. After the death of the energetic M. Vigneron, the crows of the legal and financial world descend upon the survivors, pick at the remains of his estate and leave his wife and family impoverished and bewildered. It is a sombre play and a harsh judgment on society. From

Becque – and from Octave Mirbeau (1848–1917), also a bitter critic of bourgeois manners – Pagnol drew a liking for strong, simple situations, forceful dialogue, high dramatic tension and uncomplicated characters. He admired the literary quality of their work, though he later revised his view of what he was to call *théâtre de bibliothèque*: Becque's thesis-plays were not good theatre, for they required audiences to judge with their heads and not with their hearts. But at the outset, the earnest, serious Pagnol was genuinely impressed.

It was only too clear that *Catulle,* his verse tragedy which had been ten years in the making, did not suit the mood of the times and it was for this reason that he never completed a second project, provisionally entitled *Ulysse chez les Phéaciens.* He learnt about current taste in the theatre as he mixed more with writers, actors and directors and from them gained knowledge of stagecraft and the practicalities of dramatic art. In 1924, he wrote *Tonton* in collaboration with Paul Nivoix, an old friend he had known in his *Fortunio* days. *Tonton,* the text of which has not survived, was an amusing vaudeville which had a short run in Marseilles – a small success which encouraged its authors to attempt something more ambitious. The result was *Les Marchands de Gloire* (1925), an attack on the 'crows' of the post-war period so savage that it provoked a riot during a short tour of Belgium. Pagnol had the major share of the writing, apparently; Nivoix's main contribution was the female roles, never Pagnol's *forte.*

In 1916, Bachelet, an anti-militarist minor civil servant and a fervent opponent of the war, loses a son killed in action and then finds himself in the anguished position of having to accept the honours heaped on him in the name of the dead Henri. He must either accept public favour and thus support the regime he despises; or else reject the blandishments and admit that his son has died for nothing. Encouraged by Berlureau, a war profiteer who hopes to benefit from Bachelet's growing influence, he settles into the success he has not sought. He discovers a talent for public speaking and for politics and gradually realises that he is free to pursue those youthful ambitions which he had sacrificed to family duty: at last he can "vivre son véritable personnage". By the time Henri unexpectedly reappears, an amnesiac and not a dead hero, he can no longer afford to acknowledge him: too much is at stake. Henri, scandalised at first and then angered by the money others have made out of his 'glory', ends by joining them. Truth is without value in the rotten society of the post-war world and he decides to live a lie. With a new identity and a handsome reward for his cooperation, he exploits the system which has exploited him.

The critics were enthusiastic but *Les Marchands de Gloire* closed after a short run. It was felt to be antipatriotic in some quarters, but Pagnol took the view that the play had failed because it was too 'literary'. Though *Les Nouvelles littéraires* (25 April) denied it had any connection with "la sobre véridicité de Becque", Pagnol believed that the influence of Becque had made *Les Marchands de Gloire* rather too intellectual for the paying public. For their next play, Pagnol and Nivoix chose a different setting in which to pursue the same kind of moral and social issues which had so impressed the reviewers.

Pagnol never published a text of *Un direct au cœur,* which is known only through the film which Roger Lion made of it in 1932. Kid Marc is a boxer who believes that his spectacular succession of victories is entirely due to his own courage and skill. When he learns that his crooked manager, who sees boxing as just another form of business, has fixed his fights, he is confronted with the dilemma which Bachelet and Henri had faced, and like them he decides to accept what he cannot change: after anguished thought, he decides to pursue his career. He has taken 'a right to the heart', but from his emotional disarray he emerges with a lucid determination to profit from a situation which he has not engineered himself. He is corrupted less by his own ambition than by circumstances.

Un direct au cœur was performed in Lille in 1925 but failed to find a backer for a Paris run. Undeterred, Pagnol (who now parted company with Nivoix) began work on *Jazz* (1926) which ran for more than a hundred performances. Its hero, Blaise, is a professor of Greek who has spent his life reconstructing an ancient papyrus which he attributes to Plato. He is about to be offered a Sorbonne chair, the reward for a life of total sacrifice to scholarship, when he learns that a rival has discovered a perfect copy of the text which proves to be not a lost work by Plato but a pastiche by an obscure scribe. With his work in ruins, Blaise resigns in anger and despair. His wasted youth returns like a spectre to haunt him. He tries to salvage something of the past, surrenders to love and proposes to one of his students. But it is too late; Cécile's pity is not enough and Blaise is left alone. The curtain falls as he shoots himself to an accompaniment of jazz music which is offered as an ironic comment on his illusions. Like Pagnol's earlier heroes, he is confronted by an unforeseen attack on his basic assumptions but, unlike them, he is unable to change. Like Faust (a parallel suggested by Pagnol himself), he has made a bad bargain with life and paid a high price for his idealism.

On one level, these first plays are social commentaries of a fairly representative kind. Pagnol attacked war-profiteers, shady business standards and the corruption of public life, just as many post-war writers around him were doing. At one point, he planned to expose parliamentary decadence in a play (to be called *Marianne et ses amis*) which he never finished. Yet these first ventures also expressed his nostalgia for the simple, honest values of his youth. It was no accident that the plot of *Les Marchands de Gloire* was based on an anecdote he had heard from Joseph, while *Jazz* emerged from two incidents which Pagnol himself remembered from his Marseilles days. Indeed, a version of Joseph's integrity is detectable beneath Pagnol's own shocked reactions to the prevarication which is forced upon his protagonists. But Pagnol was not Joseph, whose principles were in any case harder to defend in Paris than in Marseilles. He had, for instance, realised that high intellectual standards were inconsistent with the popular success for which he longed; artistic integrity meant clinging to an old-fashioned 'literary' view of art which was a positive hindrance to an ambitious writer. More significant still, the teachers who figure in these early plays learn that the man of ideals who pursues his ideals uncompromisingly is doomed to disappointment. Blaise is a judgment on Joseph, though he is not a rejection, for in defeat Pagnol sympathises with him.

Thus from *Les Marchands de Gloire* to *Jazz*, Pagnol's interest in social satire gave way steadily to a much more explicit concern with the predicament of the just man who must choose between what is right (a path which leads to public disgrace and even death), and the crass values of society (which guarantee social or financial success). Stated thus, the conflict between idealism and reality appears to have been resolved by the application of a generous measure of cynicism. In fact, Pagnol's attitude is much less clear cut. His characters, if not entirely innocent, are victims of situations not of their own making. His own experience had shown him that luck (or fate or chance – Pagnol never defined precisely what lies behind the contrariness of things) is a determining factor in our lives. Rewards and punishments, success and failure, happiness and misery are distributed randomly and with scant respect for fairness. Objectively, the happy man is as much a plaything of life as the tragic hero. Bachelet, Henri and Kid Marc cease therefore to be wicked and emerge as the beneficiaries of circumstances and their own adaptable natures. By the same token, Blaise cannot simply be the embodiment of virtue: he is merely a man constitutionally incapable of taking his chances. The losers are to be pitied, but the winners must not be scorned, for the issue is not one of morality but of survival.

Pagnol, on the eve of *Topaze,* had reached a point at which the plain dealing of the *milieu d'instituteur* had been modified by his own experience. The further he progressed, the more naive Joseph's simple integrity appeared and Pagnol gravitated towards a more relaxed belief that happiness is a precious commodity which is not to be refused when the opportunity arises. *Jazz* had shown that rigid idealism leads to despair and tragedy. In *Topaze,* he was to portray another idealistic teacher who, however, proves to be altogether more flexible.

4. *TOPAZE*

By the middle of 1927, Pagnol, having obtained a two-year *congé* from the Lycée Condorcet to devote himself to writing, was casting round for a subject for his next play. In June, he roughed out a brief scenario first called *La Belle et la Bête,* but shelved it because it seemed to be good enough for one act only and also because it was another play about a teacher: after *Jazz,* he felt that a change was called for. He began a second play, set in Marseilles, a comedy far removed from the classroom. It was thus that *Monsieur Topaze* (the new title of the expanded scenario) and *Marius* were written simultaneously. There is no ground therefore for the argument that the success of *Topaze* (the final, snappier title was adopted during rehearsals) quietened Pagnol's social conscience and removed the satire from his work. As we have seen, the change in his outlook predates both plays and *Topaze* merely confirmed it. *Topaze,* after being accepted by five theatre managers, was staged at the Théâtre des Variétés on October 9, 1928 and ran for three years. It proved to be one of the most successful productions of the inter-war period. Meanwhile on March 9, 1929, *Marius* began a long run at the Théâtre de Paris where it also delighted critics and audiences alike.

Topaze and *Marius* are quite separate plays in theme, mood and subject. Yet both began in Pagnol's affection for his father. He once told a friend that *Marius,* "c'est d'abord l'histoire de César et Marius. C'est l'histoire de cette rupture qui se produit toujours entre le fils qui est devenu un homme et le père qui continue à le considérer comme un enfant. *Marius,* c'est la pièce de l'amour paternel"[7]. But it is not a play of reconciliation, for if César continues to love Marius who returns his love, profound

differences of outlook keep them apart. It was in just such
a divergence from the parochial attitudes of Joseph that
Pagnol found the idea for *Topaze*.

He denied that Topaze was modelled directly on his
father though he conceded that in creating the character
he drew extensively on "les conversations que j'ai en-
tendues dans mon enfance entre mon père et ses amis"[8].
Joseph, as was to be expected, had strong views about
money and believed that large fortunes were not only
useless, since human needs are basically simple, but
immoral, since the wealthy man's riches are earned at the
expense of the poor. He did not understand finance and had
an old-fashioned mistrust of capital. Pagnol subsequently
defended his father against those who might conclude that
he must therefore have been "un naïf incurable dont la vie
n'avait point fait l'éducation et dont par conséquent
l'intelligence n'était pas très éveillée". But even Pagnol
recognised his father's limitations. As his own career
advanced, his horizons widened and Joseph's values began
to take on an antiquated look. In Paris, Marcel met "des
hommes d'affaires, des courtiers, des politiciens, des
'agents immobiliers' dont les procédés, me disait-on,
n'étaient pas tout à fait catholiques. Ils avaient voiture et
chauffeur, habitaient les beaux quartiers, allaient en
week-end à Deauville et passaient deux mois d'été à
Cannes ou à La Baule". In such company, Joseph's
puritanism seemed quaint and ingenuous. *Jazz* had already rejected the teacher's 'mission' and the values of
'l'université', but in writing this bitter play Pagnol had
worked some of the bitterness out of his system. When he
now conceived the idea for "une pièce de théâtre où l'on
verrait un homme pur entraîné – sans y rien comprendre –
dans de louches combinaisons", he had already explored
the tragic consequences of idealism. That he could now
return to virtually the same situation and treat it in terms
of comedy, indicates his confidence in a compromise
solution and reveals that his essential good humour was
beginning to assert itself. Topaze, son of Blaise, is not
allowed to make the same mistake, for Pagnol, son of

Joseph, had found a way of allowing the just man to survive in an unjust world.

At thirty, Topaze is naive and dull and believes that justice and right prevail generally in society as they do in his classroom where everything is marked out of twenty. A devoted *instituteur,* he teaches more than sums and spelling. He reinforces the proverbial wisdom which decorates his walls with lessons designed to foster honesty, consideration for others and non-materialistic values. For these values, he has an obsessive respect which is unrelieved either by tolerance or a capacity for understanding. His mission is to force his pupils to be good according to his rigid and narrow definition of 'goodness'. Paradoxically, Topaze the conscientious teacher is at heart a puritan whose unforgiving concept of moral purity requires him to be as hard on others as he clearly is on himself. His classroom is not so much an image of the wider world but rather an artificial reflection of what society could be if uprightness were generally respected. It is this naive innocence which comes under fire as Topaze is battered by forces against which he is defenceless – love, money and power. The attacks come in waves. After Ernestine, he is besieged by Suzy; Muche is succeeded by Castel-Bénac; and the Baroness is followed by Roger. Both in and out of school, Topaze faces exactly the same challenges to his honesty.

The events which, in *Jazz,* had brought Blaise to suicide in four acts, are here compressed into one and Topaze is saved only by his inability to understand what is happening. Act Two repeats the assault but the outcome is different for Topaze compromises his honesty. It is not power or money which attract him, however, but love. Paradoxically, he takes the first step on the road to immorality because he has a naive and trusting nature. The third act mounts yet another three-pronged attack which this time is subtly countered by farce, ridicule and irony. The police, Topaze is shown, do not watch his every move and a clever swindler is more than a match for blackmailers. The enemies from without once removed, the enemies from within begin to fade as Topaze begins to realise that his old loyalties are unworthy of his respect. Muche and Ernestine – echoes of his former respect for authority and love – now grovel ludicrously before him and the award of the *palmes académiques* finally destroys his belief that society is just. Anger replaces naivety and the passive Topaze prepares to become an active accomplice of the real world which he has resisted for too long. Act Four is a return to Act Two, but the balance of power is quite changed, for Topaze is in command both of himself and of others. He has learned to manipulate and deceive – for he is a good pupil – and it is only with Tamise, the last of the just, that he speaks truthfully. Since society is unfair, the good man who wishes to survive must put aside his goodness in his dealings with those who have no morals to speak of. Tamise is horrified by such cynicism and yet even he is visibly impressed by the trappings of success. The last scene takes us back to Act One, for Tamise is confronted with the same challenge to his probity as Topaze has faced. It is clear that Muche will soon be looking for another teacher to replace him. Thus Pagnol draws the threads neatly together and leaves us staring at the moral dilemma which is at the very heart of the play.

Topaze is a remarkably well engineered play. Though it is sometimes said that the first act stands rather apart from the rest both in setting and in the quality of the writing, the overall framework is one in which structural patterns are repeated quite deliberately. Act Two is a transposition of Act One, but its climax leads into Act Three which carries yet another triple assault, the effect of which is to re-emphasise the moral problem implicit in Topaze's initial attitudes. Moreover, there is within this framework considerable cross-referencing which is cleverly used to create thematic vibrations and to start ironies. By Act Four, for instance, Topaze has carried out the plan which Suzy had suggested to him earlier; Castel-Bénac, Suzy and Roger are echoes of Muche, Ernestine and the Baroness; the Tamise of Act Four is a new Topaze; the *palmes* which figure in the first act play a vital role in Topaze's conversion. There are many such parallels which Pagnol uses inventively to demonstrate that Topaze is pressurised from all directions. His dictum "l'argent ne fait pas le bonheur" hangs in the classroom at the start, reappears on his foolish lips in Act Two, is later countered forcefully by Suzy and finally dismissed by Topaze who shows Tamise that the word "Combien?" buys a great deal of happiness. Or again, Topaze tells his pupils that "nous voyons dans les journaux que l'on ne brave point impunément les lois humaines", a remark which is disproved by events which also show that the press is corrupt and that "la société n'est pas bien faite". Language patterns in particular are repeated and there is a marked interconnectedness of incident and attitudes. As the play develops, Pagnol thus encourages us to judge the present by our memory of what has gone before and in this way both reinforces his exposure of corruption and undermines Topaze's foolishness and the bad faith of everybody else. *Topaze* is constructed on the principle of repetition: the unhappy *pion* of Act One is given a second chance in the events which follow.

Pagnol's craft as a dramatist is the art of manipulating familiar theatrical clichés. As Pierre Brisson remarked, *Topaze,* "fabriquée d'un bout à l'autre et utilisant les plus vieilles recettes, valait pourtant par sa verve, ses aises, son opportunité"[9]. His earlier plays too had turned on the *coup de théâtre* and the standby of coincidence (like Henri's convenient amnesia) and *Topaze* draws heavily on the effects of *gros théâtre*: Castel-Bénac, for example, is a 'trompeur-trompé' in the familiar mould. Yet Pagnol was not content to borrow, and he revitalised a number of ploys by incorporating them into his general message. If the conventional element of coincidence is strong in *Topaze,* it is assimilated into the wider discussion of the role of 'le hasard' in directing our lives. Similarly, the caricature which many *boulevardiers* passed off as characterisation is here acceptable because Pagnol can best make moral judgments on society through the words and actions of easily recognised types. The rhetoric which marred previous plays now emerges as a far more subtle preoccupation with registers of language which allow the audience to judge Muche or Ernestine or Castel-Bénac by their speech. In *Topaze,* Pagnol took a handful of clichés and embodied them into a complex but refreshing comedy which sacrificed the love-interest of tradition to a starker concern with money.

His comic technique ranges from the broadest farce to the merest hint of disparagement, but the humour is unfailingly directed at the deflation of illusion. For example, the policeman who arrests the drunken secretary strikes a note of light relief, yet he serves the function of showing that Topaze's fears are imaginary. Yet though Pagnol has a masterly way with both situation and character, the discrepancy between words and deeds is always at the heart of his comic vision. The language of *Topaze* is the jargon of hypocrisy and bad faith: euphemism is used both as an offensive and a defensive weapon. Castel-Bénac, who would dearly love to be "calme et distingué" like Roger, constantly slips into vulgarity; Topaze's words of love, culled from academic commentaries on great literary passions and supplemented from society page glimpses into "les drames secrets du grand monde", reveal all too well the innocence he is at pains to conceal; the extortionist's fine platitudes vanish as he reveals his sordid business; Muche's skilful rephrasings show plainly that he has no moral principles to speak of. In terms of his characters, Pagnol's linguistic play succeeds in revealing how ridiculous individual pretensions can be. But on a more general level, such manipulations force the mask of hypocrisy to fall from the face of society itself. Its ethical bankruptcy is to be measured by its ability to discuss immorality in moral terms.

Yet in spite of its high seriousness, *Topaze* contains much good humour and sparkling dialogue. Pagnol obviously relished good jokes. It is enough that we should know that Castel-Bénac is a swindler: that one of his swindles involves a circulating urinal is a very amusing bonus. In the same vein are Tamise's "regard filtrant" or Muche's commercial litany of 'normal school risks'. But Pagnol also gives a free rein to his taste for "le mot à l'emporte-pièce" – a trenchant epigram or an extravagantly witty comment – which was later to become one of his hallmarks as a writer: "Les coupables, il vaut mieux les choisir que les chercher", "La prévarication, c'est la base même de tous les régimes démocratiques. Des autres aussi, d'ailleurs". Such formulae are intended to shock as well as to amuse and form a sharp contrast with the many proverbs and familiar sayings which slide smoothly off the tongues of those who believe them least. Proverbial wisdom thus stands condemned in the mouths of those who profess it. It may once have had some value, but "le mépris des proverbes, c'est le commencement de la fortune" – a neat anti-proverb which undermines all others.

But Pagnol also indulged his talent for drawing portraits of individualised types. If Castel-Bénac and Roger, Suzy and Ernestine play limited, functional roles, others have the preposterous, Dickensian qualities of the larger-than-life comic character. Muche, most obviously, is an elemental mountebank and a highly imaginative creation. So too are the majestic Baroness and the "vénérable vieillard" who, at the drop of a hint, exchanges grave dignity for chatty cynicism. With bold strokes and with his sights fixed unerringly on the dishonesty which lurks beneath surface plausibilities, Pagnol enshrined his criticism of men and society in characters which live in the memory.

For in spite of his good humour, the general mood of *Topaze* is one of relentless irony which is directed against the spirit of generalised corruption. In this sense, the play is the culmination of Pagnol's earlier work which also expressed reservations about a society which respected clever men more than good people. Bachelet, Henri, Kid Marc, even Blaise, were all the *hommes de paille* of a rotten system of values. They symbolised the integrity which is so ostentatiously celebrated by a social ethos which, in practice, exploits them ruthlessly. But now Pagnol does not attack society alone, for his satire is also directed against those 'innocents' who allow themselves to be exploited. Topaze makes the point categorically. The 'intellectuals' are victims of their own pride and find foolish comfort in inverted snobbery. They happily subscribe to the myth of the Poor Scholar and adopt a totally unrealistic attitude to money, "la forme moderne de la force". It is as much an illusion to believe that the poor are honest as it is to believe that the rich are unhappy. If Muche is a rogue, Topaze has been a fool.

It is thus that Pagnol rejects the aloofness of 'l'université' and points up the limits of his father's naive assumptions about life. The Topaze of Act One is "un véritable Joseph" in more senses than the Biblical allusion would suggest. The Topaze of Act Four is a Joseph who has learned hard lessons. To be restrained by moral attitudes which are rooted in prejudice rather than in reality is a mistake which leads to unhappiness. Pagnol's practical philosophy – which cuts a few corners and looks as though it could lead to cynicism – frees Topaze from guilt.

For Topaze does not seek money and power: they are thrust upon him. He is the toy of circumstances and Pagnol is careful to point out that his triumph stems not from wickedness but from his ability to recognise an opportunity and take it. Those who seek to corrupt him speak much of "le hasard" and "la fortune" which favour him, but Topaze persists in dreading his 'destiny' which he interprets in a pessimistic sense. It takes several shocks to his self-esteem before he understands that destiny can conspire with him as well as against him. It is only then that his chains are loosed and his passivity gives way to positive action.

It is, of course, this sudden *volte-face* which has led many critics to regard *Topaze* as a flawed play. The change in his behaviour, it is argued, is psychologically impossible for it is difficult to accept that a tycoon could ever emerge from the "misérable pion" who has been easy game for everyone. Various productions and screen versions have often seemed to reinforce this view. Louis Jouvet, for instance, in the 1932 film, was more convincing as the besieged *instituteur* than as the businessman of Act Four, whereas in the original stage production, André Lefaur gave a better account of Topaze's final assertiveness than of his foolishness.

Yet a close reading of the text reveals that there is nothing inexplicable in his sudden change in attitudes. Pagnol prepares the ground carefully and indicates quite clearly that the key to Topaze's personality is his pride. From the start, he seems unable to act with humility and even with Muche he is "empressé, mais sans servilité", as the stage direction puts it. He has a high regard for his abilities and is anxious for recognition. "Qui ne demande rien, n'a rien", he informs Tamise who, slightly shocked, declares him to be an "arriviste". There is the suggestion too that he has 'aimed high' in setting his cap at Ernestine who, though charming, is also the quickest route to promotion: are his attentions – like his recruitment of seven boys to the school – designed at least in part to "mettre la main sur la pension Muche"? The Topaze of Act One is not without ambition; his difficulty is that he does not know how to pursue it. When Castel-Bénac offers him a well-paid job, he quickly takes to the idea, is flattered by the "secret professionnel" which makes him the equal of a doctor, tries the title "Monsieur le Directeur" for size and discovers that it fits very nicely. Tamise had called him an "arriviste", he muses: "il avait peut-être raison". Even his feelings for Suzy are coloured by his egoism, for he imagines that he can rescue her like a knight of old. And when he learns that she is the mistress of Castel-Bénac, the first hurt is to his self-esteem and not to his love. As events unfold, his pride revives and it is through injured pride that he decides to remain, accept what fate offers and thus regain his self-respect. Topaze does not love money, though he comes to appreciate power: he changes sides because he seeks revenge upon those who have humiliated him and his kind. When he sees the self-deluding Tamise still abused by others, he feels "la rage au cœur". He has a large capacity for anger – in Act One we saw him react violently to his pupils and the Baroness – and in him anger finally joins with pride to give the bitter indignation which releases him from the tyranny of his moral principles. The insignificant "arriviste" adopts the tactics of which he has been the victim and finally... arrives. His true personality arises out of the ruins of his narrow scruples as he acquires the self-confidence to "vivre son véritable personnage" as Bachelet had done before him. Topaze is a rich comic character, but he is also a character of considerable psychological complexity. Pagnol has no need to force him to be free, for Topaze is quite capable of liberating himself.

And also of liberating Tamise, to whom he offers practical counsel. But the lesson was not lost on Pagnol himself. With *Topaze,* Pagnol came to terms with a long-standing dilemma and, like his hero, he too decided to take his chances. He never returned to the Lycée Condorcet and proceeded to enjoy the fruits of his success, a situation which parallels the fortunes of Topaze almost exactly. But just as his "arriviste" in private never sneered at Tamise, Pagnol did not turn against his father's philosophy. The play's epigraph ("La société, voyez-vous, monsieur, si elle continue, elle tuera les justes") would be a simple declaration of cynicism if Topaze did not make a point of informing Tamise that henceforth all his dealings would be strictly above-board. Of course, what is legal is not always just and business operates according to the rules of a game which is not always fair. Topaze remains a just man only in this limited sense: if decency is worth having, it is worth fighting for, and fighting to win. Pagnol came round to the view that "le juste", in Joseph's sense, belonged to an endangered species and he readily fell in with the enlightened innocence he devised for Topaze. Fortune smiled on him and, as a successful writer, he mellowed. Raymond Castans recalled that within a few years of *Topaze,* "il avait évolué. La fréquentation du Tout-Paris, des milieux d'affaires, des gens de cinéma et de théâtre, lui avait fait acquérir, devant le spectacle de l'immoralité, des grandes escroqueries et des petites combinaisons, une attitude moins indignée. Je ne dis pas qu'il les excusait, ni même qu'il les acceptait. Mais il avait choisi d'en rire. Et il en riait bien"[10].

Pagnol never returned to his satirical vein nor did he ever again attempt to be a reformer. Accepting what he could not change – the corruption of urban society, the irony of life and the innocence of Joseph – he was content to remain an observer. *Topaze* closed a door in his career even as *Marius,* its unlikely companion, was opening a new chapter.

Both plays were well received, *Topaze* as a neat deflation of contemporary manners and *Marius* as a warmer and perhaps more satisfying statement of human values. Of the two, *Topaze* is more obviously a play with a message, yet though it has remained a firm favourite with theatre, cinema and television audiences, there is no general agreement as to what precisely that message is. Is the play a re-working of the old theme of the evils of money, a fable about the nature of power and how it is acquired, an attack on corruption in public life, or indeed an incitement to cynicism? Or does *Topaze*, as Pagnol himself clearly believed, have a primarily moral slant – as a comment on human pride, for instance, or as a recipe for ethical survival in an unethical world, or as a reminder that if decency is to be valued then it must be actively defended against the greedy and the unscrupulous?

Works of satire tend to date very quickly and if *Topaze* were no more than a skit on the shabby standards of the inter-war years, then it would not have survived its hero's pince-nez and detachable cuffs. That it still has the power not only to amuse but also to disturb is a measure of Pagnol's literary skills: one test of a work of art is its ultimate ambiguity and its ability to demand a personal contribution from the reader. Pagnol's last 'protest' play is therefore not merely good theatre. It is an enduring fable which provokes responses which will vary according to our experience, prejudices and values. Whether we conclude that Topaze is a good man or a wicked opportunist will tell us much about ourselves and about the society in which we live. Not surprisingly, *Topaze* has been judged by a number of different yardsticks. As a spur to further personal study, we end therefore with a selection of critical comments, not all favourable to the play, which is intended to stimulate thought and discussion.

CRITICAL JUDGMENTS OF *TOPAZE*

"Sans rien apporter de nouveau, Pagnol a un sens très vif du théâtre, et le don du comique..." (*Larousse du XXe siècle,* 1932, vol. V, p. 310).

"(Après le rideau) les honnêtes spectateurs se retirent en se défendant de penser que le catéchumène de Topaze soit guéri pour toujours de l'honnêteté. Ils préfèrent le supposer simplement dégoûté d'être dupe. En quoi ils lui prêtent leur propre sentiment" (Louis Combalusier, *Le Jardin de Pagnol,* Paris, 1937, p. 73).

"La pièce n'allait pas bien loin et ramenait la satire à des mots et à des situations de gros théâtre, mais, c'était drôle, vivant, pittoresque, et admirablement en scène" (Pierre Brisson, *Le Théâtre des Années Folles,* Genève, 1943, p. 95).

"(*Topaze*) marque une date, non seulement dans le théâtre contemporain, mais aussi dans l'évolution des mœurs et la vie sociale de notre temps. C'est ainsi, sans doute, qu'on se référera à cette pièce, pour apprécier notre époque, comme nous faisons volontiers pour certaines pièces du temps passé; *Turcaret,* de Lesage, *Le Barbier de Séville, Le Mariage de Figaro,* etc., afin de mieux comprendre où en était arrivé, en France, l'Ancien Régime à la veille de la Révolution" (Serge Radine, *Essais sur le Théâtre (1919–1939)*, Genève-Annemasse, 1944, p. 58).

"*Topaze* est une pièce remarquablement bien faite, au point de vue technique, qui dénote une sûreté de touche, une maîtrise professionnelle incomparables" (Serge Radine, *op. cit.,* p. 59).

"C'est une violente satire des mœurs contemporaines, une manière de *Turcaret,* et Topaze, petit pion, ingénu à force d'honnêteté, qui finit par triompher dans la vie en se livrant à des combinaisons véreuses, est resté un type inoubliable" (René Peter, *Le Théâtre et la Vie sous la Troisième République,* Paris, 2 vols, 1945–7, II, p. 268).

"*Topaze*... est une monumentale satire dont le comique irrésistible laisse par instants derrière soi d'âcres relents d'amertume, et dont la cocasserie a souvent une sonorité de révolte contre la déchéance morale de notre époque" (Marcel Doisy, *Le Théâtre français contemporain,* Bruxelles, 1947, p. 166).

"Ce don de vie est l'apanage des grands créateurs. Avec Topaze, Marius, Fanny, César, Panisse, Pagnol a réussi à faire vivre au milieu de nous des êtres imaginaires si vrais, si quotidiens, qu'ils nous paraissent faits de chair et de sang, qu'il nous semble les avoir réellement connus et fréquentés. Si bien que, sans le secours de théories littéraires, par le simple miracle d'une présence vivante, ils sont devenus des types, des classiques" (André-Paul Antoine, "Marcel Pagnol, Marcel Achard, Henri Jeanson", in *Revue des Deux Mondes,* May–June, 1962, p. 532).

"Avec *Topaze,* la peinture satirique (chez Pagnol) prend plus d'ampleur, car, par delà de la vénalité des mœurs politiques, financières et journalistiques, Pagnol voulait présenter un tableau de la déchéance morale de toute une époque" (P. Surer, *Le Théâtre français contemporain,* Paris, 1964, p. 111).

"Le médecin-promoteur de Jules Romains (Knock) et le pion-affairiste de Marcel Pagnol sont bien de la même famille. Chacun à sa manière plus ou moins résigné, ils symbolisent le même effroi d'une génération d'universitaires encore ingénus et utopistes devant l'immoralité triomphante des mœurs capitalistes" (B. Poirot-Delpech, *Le Monde,* April 1, 1966).

"... Succès mérité, car la pièce vient à son heure et renouvelle le thème éternel du pouvoir corrupteur de l'argent, à notre époque, la prévarication et le trafic d'influence au niveau de la politique municipale; peut-être le style manque-t-il parfois de densité, mais *Topaze* abonde en traits qui portent." (A. Lagarde et L. Michard, *XXe siècle,* Paris, Bordas, 1968, p. 390).

"On a pu croire, un temps, que *Topaze* dénonçait un scandale d'avant la dernière guerre. Il s'agit de tous les scandales de tous les temps, mais aussi, mais principalement, d'un portrait, d'une vie, d'une créature, d'une histoire qui donne confiance, d'une vérité qui fait rire" (Jean-Jacques Gautier, *Le Figaro,* April 19, 1974).

"*Topaze* est psychologiquement impossible et sociologiquement méjugé. Psychologie: Topaze un ne saurait devenir Topaze deux... Mais dans le domaine social, la satire est beaucoup moins celle des affairistes maîtres du jeu dans les années vingt que celle des universitaires" (Abel Clarté, *Les Nouvelles littéraires,* 6–12 May, 1974).

"D'un acte à l'autre, ce n'est pas seulement le personnage qui change, mais la vision du monde: d'une part l'exaltation de l'idéal laïque dans un cadre médiocre, à la Dickens; de l'autre, la pourriture dorée des 'beaux quartiers', à la Balzac. Deux pièces en une seule, reliées par le fil ténu d'une ironie sanglante" (Claude Beylie, *Marcel Pagnol,* Paris, 1974, p. 41).

"Selon l'éclairage qu'on lui donne, *Topaze* pourra apparaître comme une pénible comédie de boulevard, une farce macabre, une entreprise subtile de subversion, voire une pièce d'avant-garde" (Claude Beylie, *op. cit.,* p. 41).

Topaze

"C'est qu'il s'agit, répétons-le, d'un personnage d'une rare complexité: un Faust comique, qui aurait troqué les tourments métaphysiques pour se colleter avec les réalités de l'existence, et vendu son âme à ce démon moderne qu'est l'argent. Non pas une caricature, comme veut la tradition, mais un *type,* à la fois éternel et rigoureusement daté, historiquement et socialement" (Claude Beylie, *op. cit.,* p. 44).

"The play is, of course, ironical from beginning to end. Irony implies a choice between real and improbable alternatives; *Topaze* is an allegory which presents the contemptible alternative to the obvious remedy for the ills of society. So contemptible is this alternative that it provokes a return to probity and plain dealing" (C. E. J. Caldicott, *Marcel Pagnol,* Boston, 1977, p. 64).

"*Topaze* is the superb culmination of a cycle of development in Pagnol's theatre; all the previous plays were steps toward the perfection of *Topaze* with its sparkling dialogue, tightly controlled structure, and cutting irony" (C. E. J. Caldicott, *op. cit.,* p. 66).

NOTES TO THE INTRODUCTION

[1] The *Souvenirs d'Enfance* comprise: *La Gloire de mon Père* (1957) (ed. Joseph Marks, Harrap, 1962); *Le Château de ma Mère* (1957) (ed. Joseph Marks, Harrap, 1964); *Le Temps des Secrets* (1960). A fourth volume, *Le Temps des Amours*, was published from Pagnol's papers in 1977.

[2] See Pagnol's account of his father's education and early attitudes in *La Gloire de mon Père* (Harrap edition, pp. 22–5).

[3] *La Gloire de mon Père,* Harrap, pp. 67–8.

[4] "Ce que Pagnol a dit aux élèves du Lycée Pagnol", in *Paris-Match,* no. 706, 20 October 1962, pp. 92–5.

[5] For further information on the *Fortunio* group and an interesting introduction to Pagnol in general, see C. E. J.

Caldicott, *Marcel Pagnol*, Twayne Publishers, Boston, 1977.

6 For a general survey of the theatre at this time, see Dorothy Knowles, *French Drama in the Inter-War Years, 1918–1939*, Harrap, 1967.

7 Raymond Castans, *Marcel Pagnol m'a raconté*, Editions de Provence, Editions de la Table Ronde, 1975, pp. 34–5.

8 Marcel Pagnol, *Œuvres complètes*, Club de l'honnête homme, (Paris), 12 vols, III, pp. 18–20.

9 Pierre Brisson, *Le Théâtre des Années Folles,* Genève, 1943, p. 94.

10 Castans, *op. cit.*, p. 114.

BIBLIOGRAPHY

PRINCIPAL WORKS OF MARCEL PAGNOL

For full bibliographical details, see C. E. J. Caldicott, *Marcel Pagnol,* Twayne, Boston, 1977. Claude Beylie (*Marcel* Pagnol, Seghers, 1974) offers the most detailed filmography yet published.

Les Marchands de Gloire (1925)
Jazz (1926)
Topaze (1928)
Marius (1929; filmed in 1931)
Fanny (1931; filmed in 1932)
Pirouettes (1932)
*Angèle (1934)
*César (1936)
*Regain (1937)
*La Femme du Boulanger (1938)
*La Fille du Puisatier (1939)
Notes sur le rire (1947)
*La Belle Meunière (1948)
La Critique des Critiques (1949)
*Manon des Sources (1952)
*Les Lettres de mon Moulin (1953)
Judas (1955)
Souvenirs d'Enfance:
    1. *La Gloire de mon Père* (1957)
    2. *Le Chateau de ma Mère* (1957)
    3. *Le Temps des Secrets* (1960)
    4. *Le Temps des Amours* (1977)

*denotes a film.

Bibliography

L'Eau des Collines (1963):
1. *Jean de Florette*
2. *Manon des Sources*
Le Masque de Fer (1964)

NOTE ON THE TEXT

The text adopted for this edition is the "version définitive" established by Marcel Pagnol for his *Œuvres complètes* published by Pastorelly (1964–73) and included in the twelve-volume collected works put out by *Le Club de l'honnête homme* (1970–71). Apart from the correction of a few minor details, Pagnol's final text differs only slightly from the first edition (Fasquelle, Paris 1930).

It should be noted, however, that *Topaze* differs in a number of respects – removal of the discussion with Panicault, suppression of the "vénérable vieillard", etc – from the well-known film, starring Louis Jouvet, which was based on it in 1932 by Louis Gasnier. These changes were forced on Pagnol who, however, continued to allow it to be shown. In 1936, he directed his own version, with Arnaudy in the lead; though it was a more faithful rendering, Pagnol was dissatisfied with it. In 1950, he produced and directed his second film of *Topaze* which included an excellent performance by Fernandel. *Topaze* was twice filmed in 1933: a Hollywood version starred John Barrymore and *Yacout Effendi* was made in Egypt. In 1951, Howard Hughes considered Vincent Price for the title role but the project came to nothing. Peter Sellers starred in and directed the disappointing *Mr. Topaze* of 1961.

Pagnol's anecdotal *Préface* to *Topaze,* first published in four instalments in *Le Figaro littéraire* (6–27 August, 1964), has not been included for reasons of space; its major features have been incorporated into the Introduction.

A ANDRÉ ANTOINE
mon maître
En signe de reconnaissance et de
respectueuse affection. M.P.

"La société, voyez-vous, monsieur, si elle continue, elle
tuera les justes"

(Paroles d'un garçon coiffeur).

PERSONNAGES

TOPAZE, 30 ans, professeur à la pension Muche
MUCHE, le directeur, 48 ans
TAMISE, 40 ans, professeur à la pension Muche
PANICAULT
LE RIBOUCHON, surveillant à la pension Muche
UNE DIZAINE D'ENFANTS DE 10 à 12 ANS, élèves à la pension
   Muche
L'ÉLÈVE SÉGUÉDILLE
RÉGIS CASTEL-BÉNAC, conseiller municipal d'une grande
   ville en France ou ailleurs
ROGER DE BERVILLE, 26 ans, jeune homme élégant
LE VÉNÉRABLE VIEILLARD
UN AGENT DE POLICE
UN MAÎTRE D'HÔTEL
SUZY COURTOIS, très jolie femme, la maîtresse de Castel-
   Bénac
ERNESTINE MUCHE, 22 ans
LA BARONNE PITART-VERGNIOLLES, 45 ans
1re DACTYLO
2e DACTYLO
3e DACTYLO

DÉCORS

Premier acte: Une salle de classe à la pension Muche
Second acte: Un petit salon chez Suzy Courtois
Troisième et quatrième actes: Un bureau américain

L'action se passe de nos jours dans une grande ville.

Acte I

Une salle de classe à la pension Muche.
Les murs sont tapissés de cartes de géographie,
de tableaux des poids et mesures, d'images anti-alcoo-
liques (foie d'un homme sain, foie alcoolique).
Au-dessus des tableaux, une frise de papier crème,
sur laquelle se détachent en grosses lettres diverses
inscriptions morales : « Pauvreté n'est PAS *vice. »*
« Il vaut mieux SOUFFRIR *le mal que de le* FAIRE. *»*
« L'oisiveté est la MÈRE *de* TOUS LES VICES. *» « Bonne*
renommée vaut MIEUX *que ceinture dorée. » Au*
centre, au-dessus de la chaire : « L'ARGENT NE FAIT
PAS LE BONHEUR *». Au plafond, deux réflecteurs*
de tôle émaillée auréolent des ampoules électriques.
Au fond, entre une porte-fenêtre et une armoire,
la chaire, sur une petite estrade d'un pied de haut.
A travers les vitres de la porte-fenêtre, on voit
passer de temps en temps des enfants qui jouent,
ou la silhouette minable de M. Le Ribouchon, qui
surveille la récréation.
L'armoire est vitrée, et l'on voit à l'intérieur, sur
des étagères, une sorte de bric-à-brac. Des pavés
ornés d'étiquettes, un perroquet empaillé, divers
bocaux contenant des cadavres d'animaux ou d'in-
sectes. Au-dessus de l'armoire, un globe terrestre
en carton, un boisseau, un écureuil empaillé.
Devant la chaire, deux rangées de bancs d'écoliers,
séparées par une allée.

Enfin, à droite, au tout premier plan, une petite armoire. A terre, à côté de l'armoire, un tas de livres en loques.

. . . . Scène I . . . .

Quand le rideau se lève, M. Topaze fait faire une dictée à un élève. M. Topaze a trente ans environ. Longue barbe noire qui se termine en pointe sur le premier bouton du gilet. Col droit, très haut, en celluloïd, cravate misérable, redingote usée, souliers à boutons.
L'élève est un petit garçon de douze ans. Il tourne le dos au public. On voit ses oreilles décollées, son cou d'oiseau mal nourri. Topaze dicte et, de temps à autre, il se penche sur l'épaule du petit garçon, pour lire ce qu'il écrit.

TOPAZE, *il dicte en se promenant :* « Des... moutons... Des moutons... étaient en sûreté... dans un parc; dans un parc. *(Il se penche sur l'épaule de l'élève et reprend.)* Des moutons... moutonss... » *(L'élève le regarde, ahuri.)* Voyons, mon enfant, faites un effort. Je dis *moutonsse*. Étaient *(il reprend avec finesse)* étai-eunnt. C'est-à-dire qu'il n'y avait pas qu'un *moutonne*. Il y avait plusieurs *moutonsse*.

L'élève le regarde, perdu. A ce moment, par une porte qui s'ouvre à droite au milieu du décor, entre Ernestine Muche. C'est une jeune fille de vingt-deux ans, petite bourgeoise vêtue avec une élégance bon marché. Elle porte une serviette sous le bras.

. . . . Scène II . . . .

L'ÉLÈVE, TOPAZE, ERNESTINE

ERNESTINE : Bonjour, monsieur Topaze.

TOPAZE : Bonjour, mademoiselle Muche.

ERNESTINE : Vous n'avez pas vu mon père?

TOPAZE : Non, M. le directeur ne s'est point montré ce matin.

ERNESTINE : Quelle heure est-il donc?

TOPAZE, *il tire sa montre qui est énorme et presque sphérique* : Huit heures moins dix, mademoiselle. Le tambour va rouler dans trente-cinq minutes exactement... Vous êtes bien en avance pour votre classe...

ERNESTINE : Tant mieux, car j'ai du travail. Voulez-vous me prêter votre encre rouge?

TOPAZE : Avec le plus grand plaisir, mademoiselle... Je viens tout justement d'acheter ce flacon, et je vais le déboucher pour vous.

ERNESTINE : Vous êtes fort aimable...

> *Topaze quitte son livre, et prend sur le bureau un petit flacon qu'il va déboucher avec la pointe d'un canif pendant les répliques suivantes.*

TOPAZE : Vous allez corriger des devoirs?

ERNESTINE : Oui, et je n'aime pas beaucoup ce genre d'exercice...

TOPAZE : Pour moi, c'est curieux, j'ai toujours eu un penchant naturel à corriger des devoirs... Au point que je me suis parfois surpris à rectifier l'orthographe des affiches dans les tramways, ou sur les prospectus que des gens cachés au coin des rues vous mettent dans les mains à l'improviste... *(Il a réussi à ôter le bouchon.)* Voici, mademoiselle. *(Il flaire le flacon débouché avec un plaisir évident, et le tend à Ernestine.)* Et je vous prie de garder ce flacon aussi longtemps qu'il vous sera nécessaire.

ERNESTINE : Merci, monsieur Topaze.

TOPAZE : Tout à votre service, mademoiselle...

ERNESTINE, *elle allait sortir, elle s'arrête* : Tout à votre service? C'est une phrase toute faite, mais vous la dites bien!

TOPAZE : Je la dis de mon mieux et très sincèrement...

ERNESTINE : Il y a quinze jours, vous ne la disiez pas, mais vous étiez beaucoup plus aimable.

TOPAZE, *ému* : En quoi, mademoiselle?

ERNESTINE : Vous m'apportiez des boîtes de craie de couleur, ou des calendriers perpétuels, et vous veniez jusque dans ma classe corriger les devoirs de mes élèves... Aujourd'hui, vous ne m'offrez plus de m'aider...

TOPAZE : Vous aider? Mais si j'avais sollicité cette faveur, me l'eussiez-vous accordée?

ERNESTINE : Je ne sais pas. Je dis seulement que vous ne l'avez pas sollicitée. *(Elle montre le flacon et elle dit assez sèchement.)* Merci tout de même...

Elle fait mine de se retirer.

TOPAZE, *très ému* : Mademoiselle, permettez-moi...

ERNESTINE, *sèchement* : J'ai beaucoup de travail, monsieur Topaze...

Elle va sortir. Topaze, très ému, la rejoint.

TOPAZE, *pathétique* : Mademoiselle Muche, mon cher collègue, je vous en supplie : ne me quittez pas sur un malentendu aussi complet.

ERNESTINE, *elle s'arrête* : Quel malentendu?

TOPAZE : Il est exact que depuis plus d'une semaine je ne vous ai pas offert mes services; n'en cherchez point une autre cause que ma discrétion. Je craignais d'abuser de votre complaisance, et je redoutais un refus, qui m'eût été d'autant plus pénible que le plaisir que je m'en promettais était plus grand. Voilà toute la vérité.

ERNESTINE : Ah? Vous présentez fort bien les choses... Vous êtes beau parleur, monsieur Topaze... *(Elle rit.)*

TOPAZE, *il fait un pas en avant* : Faites-moi la grâce de me confier ces devoirs...

ERNESTINE : Non, non, je ne veux pas vous imposer une corvée...

TOPAZE, *lyrique* : N'appelez point une corvée ce qui est une joie... Faut-il vous le dire : quand je suis seul, le soir, dans ma petite chambre, penché sur ces devoirs que vous avez dictés, ces problèmes que vous avez choisis, et ces pièges orthographiques si délicatement féminins, il me semble *(il hésite, puis, hardiment)* que je suis encore près de vous...

ERNESTINE : Monsieur Topaze, soyez correct, je vous prie...

TOPAZE, *enflammé* : Mademoiselle, je vous demande pardon; mais considérez que ce débat s'est engagé de telle sorte que vous ne pouvez plus me refuser cette faveur sans me laisser sous le coup d'une impression pénible et m'infliger un chagrin que je n'ai pas mérité.

ERNESTINE, *après un petit temps* : Allons, je veux bien céder encore une fois... *(Elle ouvre sa serviette et en tire plusieurs liasses de devoirs, l'une après l'autre.)*

TOPAZE *les prend avec joie. A chaque liasse, il répète avec ferveur* : Merci, merci, merci, merci, merci...

ERNESTINE : Il me les faut pour demain matin.

TOPAZE : Vous les aurez.

ERNESTINE : Et surtout, ne mettez pas trop d'annotations dans les marges... Si l'un de ces devoirs tombait sous les yeux de mon père, il reconnaîtrait votre écriture au premier coup d'œil.

TOPAZE, *inquiet et charmé* : Et vous croyez que M. le directeur en serait fâché?

ERNESTINE : M. le directeur ferait de violents reproches à sa fille.

TOPAZE : J'ai une petite émotion quand je pense que nous faisons ensemble quelque chose de défendu.

ERNESTINE : Ah! taisez-vous...

TOPAZE : Nous avons un secret... C'est délicieux, d'avoir un secret. Une sorte de complicité...

ERNESTINE : Si vous employez de pareils termes, je vais vous demander de me rendre mes devoirs.

TOPAZE : N'en faites rien, mademoiselle, je serais capable de vous désobéir... Vous les aurez demain matin...

ERNESTINE : Soit. Demain matin, à huit heures et demie... Au revoir et pas un mot.

TOPAZE, *mystérieux* : Pas un mot.

Ernestine sort par où elle était venue. Topaze, resté seul, rit de plaisir et lisse sa barbe. Il met les liasses de devoirs dans son tiroir. Enfin, il reprend son livre et revient vers l'élève.

TOPAZE : Allons, revenons à nos *moutonsse*.

A ce moment, la porte-fenêtre s'ouvre, et M. Muche paraît.

·············· *Scène* III ··············

TOPAZE, MUCHE

M. Muche est un gros homme de quarante-huit ans. Il a le teint frais, la nuque épaisse. Courte barbe en pointe très soignée. Une grosse bague au doigt. Chaîne de montre élégante. Col cassé. Costume neuf marron clair. Il paraît sévère et plein d'autorité. Topaze le salue avec respect.

TOPAZE, *empressé, mais sans servilité* : Bonjour, monsieur le directeur...

MUCHE : Bonjour, monsieur Topaze. Je désire vous dire deux mots.

TOPAZE : Bien, monsieur le directeur. *(A l'élève.)* Mon enfant, vous pouvez aller jouer.

L'ÉLÈVE : Merci, m'sieu.

Il ferme son cahier et sort.

MUCHE, *après un petit temps* : Monsieur Topaze, je suis surpris.

TOPAZE : De quoi, monsieur le directeur?

MUCHE : Vous me forcez à vous rappeler l'article 27 du règlement de la pension Muche : « Les professeurs qui donneront des leçons particulières dans leur classe seront tenus de verser à la direction dix pour cent du prix des leçons. »
Or, vous m'aviez caché que vous donniez des leçons à cet élève.

TOPAZE : Monsieur le directeur, ce ne sont pas de véritables leçons.

MUCHE, *sévère* : Je crains que vous ne jouiez sur les mots.

TOPAZE : Non, monsieur le directeur. Ce sont de petites leçons gratuites.

MUCHE, *stupéfait et choqué* : Gratuites?

TOPAZE : Oui, monsieur le directeur.

MUCHE, *au comble de la stupeur :* Des leçons *gratuites?*

TOPAZE, *sur le ton de quelqu'un qui se justifie :* Cet enfant est très laborieux, mais il avait peine à suivre la classe, car personne ne semble s'être occupé de lui jusqu'ici. Sa famille, si toutefois il en a une...

MUCHE, *choqué :* Comment, s'il en a une? Croyez-vous que cet enfant soit né par une génération spontanée?

TOPAZE *rit de ce trait d'esprit :* Oh! non, monsieur le directeur.

MUCHE : Si ses parents avaient jugé nécessaire de lui faire donner des leçons, il seraient venus m'en parler. Quant à donner des leçons *gratuites*, je ne sais si vous vous rendez compte de la portée d'une pareille initiative. Si vous donnez des leçons *gratuites*, personne désormais ne voudra payer; vous aurez ainsi privé de pain tous vos collègues, qui ne peuvent s'offrir le luxe de travailler pour rien. Si vous êtes un nabab...

TOPAZE : Oh! n'en croyez rien, monsieur le directeur.

MUCHE : Enfin, cela vous regarde. Mais votre générosité ne saurait vous dispenser de payer la taxe de 10 pour cent. Ce que j'en dis d'ailleurs n'est pas pour une misérable question d'argent, mais c'est par respect pour le règlement, qui doit être aussi parfaitement immuable qu'une loi de la nature.

TOPAZE : Je le comprends fort bien, monsieur le directeur.

MUCHE : Parfait. *(Il montre le petit animal empaillé sur le bureau.)* Quel est ce mammifère?

TOPAZE : C'est un putois, monsieur le directeur. Il m'appartient, mais je l'ai apporté pour illustrer une leçon sur les ravageurs de la basse-cour.

MUCHE : Bien. *(Il va près de la petite bibliothèque, et regarde le tas de livres en loques qui est à terre.)* Qu'est-ce que c'est que ça?

TOPAZE : C'est la bibliothèque de fantaisie, monsieur le directeur. Je suis en train de faire, à mes moments perdus, un récolement général.

MUCHE, *sévère :* Un ouvrage aurait-il disparu?

TOPAZE : Non, monsieur le directeur... Je suis heureux de vous dire que non.

MUCHE : Bien. *(Il va sortir. Topaze le rappelle timidement.)*

TOPAZE : Monsieur le directeur! *(Muche se retourne.)* Je crois que je vais réussir à faire entrer ici un nouvel élève.

MUCHE, *indifférent :* Ah?

TOPAZE : Oui, monsieur le directeur. Et je me permets de vous faire remarquer que c'est le septième.

MUCHE : Le septième quoi?

TOPAZE : Le septième élève que j'ai recruté cette année, pour notre maison.

MUCHE : Vous avez donc rendu un très grand service à sept familles.

TOPAZE : Eh oui, au fait, c'est exact.

MUCHE : D'ailleurs, nous n'avons plus de place et je ne sais pas du tout s'il me sera possible d'accueillir votre petit protégé. Le simple bon sens vous dira que la pension Muche n'est pas dilatable à l'infini. Nos murs ne sont pas en caoutchouc.

TOPAZE, *stupéfait* : Tiens! Et moi qui croyais que nous avions moins d'élèves que l'année dernière!

MUCHE : Monsieur Topaze, apprenez qu'avant-hier, j'ai dû refuser le propre fils d'un grand personnage de la République.

TOPAZE : Ah! c'est fâcheux, monsieur le directeur... Parce que je suis moralement engagé avec cette famille!

MUCHE : Il est imprudent de promettre une faveur quand on n'est point maître de la dispenser. *(Un petit temps.)* Comment s'appelle cet enfant?

TOPAZE : Gaston Courtois.

MUCHE : Je regrette qu'il ne soit point noble. Une particule eût influé sur ma décision. Au moins, est-ce un sujet d'élite?

TOPAZE : Peut-être... Je lui ai donné des leçons pendant un mois, chez sa tante, car ses parents sont au Maroc... Il m'a semblé trouver chez lui une certaine agilité d'esprit, une aptitude à saisir les nuances...

MUCHE : Bien, bien, mais la famille acceptera-t-elle nos conditions? Huit cents francs par mois, un trimestre d'avance?

TOPAZE : Cela va sans dire!

MUCHE : L'élève suivra-t-il les cours supplémentaires?

TOPAZE : Probablement.

MUCHE : Escrime, modelage, chant choral?

TOPAZE : Sans aucun doute.

MUCHE : Cent vingt francs par mois?

TOPAZE : Je le suppose.

MUCHE : Danse, aquarelle, espéranto, deux cents francs?

TOPAZE : La famille en comprendra la nécessité.

MUCHE : Avez-vous dit que nous étions forcés d'ajouter au prix de la pension divers autres suppléments?

TOPAZE : Lesquels, monsieur le directeur?

MUCHE, *automatique* : Fournitures de plumes et buvards : six francs. Autorisation de boire au robinet d'eau potable : cinq francs. Bibliothèque de fantaisie : vingt francs. Forfait de trente francs pour les petites dégradations du matériel, telles que taches d'encre, noms gravés sur les pupitres, inscriptions dans les cabinets... Enfin six francs par mois pour l'assurance contre les accidents proprement scolaires, comprenant foulures, luxations, fractures, scarlatine épidémique, oreillons et plume dans l'œil. Vous pensez que toutes ces conditions seront acceptées?

TOPAZE : J'en suis persuadé.

MUCHE, *un temps de réflexion* : C'est donc un sujet d'élite, et je me sens tenu de faire un effort en sa faveur. Et d'autre part, puisque vous avez eu l'imprudence de vous engager, il faut bien que je vous tire de ce mauvais pas.

TOPAZE : Je vous en remercie, monsieur le directeur.

MUCHE : Dites à cette dame que chaque jour perdu est gros de conséquences pour cet enfant. Je l'attends le plus tôt possible.

TOPAZE : Elle doit venir aujourd'hui même.

MUCHE : Bien. J'espère, monsieur Topaze, que je n'oblige pas un ingrat, et qu'un zèle redoublé de votre part me témoignera votre reconnaissance.

TOPAZE : Vous pouvez y compter absolument, monsieur le directeur.

MUCHE : Bien. *(Il se tourne et va sortir. Mais il se ravise et se retourne vers Topaze.)* Ah! voici le dossier que vous m'aviez remis pour les palmes académiques. *(Il fouille dans la chemise qu'il porte à la main depuis le début de la scène.)* Et j'ai le plaisir de vous dire... *(il cherche toujours)* le plaisir de vous dire... *(Topaze attend, illuminé)* que M. l'Inspecteur d'Académie m'a parlé de vous dans les termes les plus flatteurs.

TOPAZE, *au comble de joie* : Vraiment?

MUCHE : Il m'a dit : « M. Topaze mérite dix fois les palmes! »

TOPAZE : Dix fois!

MUCHE : « Mérite dix fois les palmes, et j'ai eu presque honte quand j'ai appris qu'il ne les avait pas encore. »

TOPAZE, *il rougit de joie* : Oh! je suis confus, monsieur le directeur!

MUCHE : « D'autant plus, a-t-il ajouté, que je ne puis pas les lui donner cette année! »

TOPAZE, *consterné* : Ah! il ne peut pas!

MUCHE : Hé, non. Il a dû distribuer tous les rubans dont il disposait à des maîtres plus anciens que vous... Tenez, reprenez votre dossier. Ses dernières paroles ont été : « Dites bien à M. Topaze que pour cette année, je lui décerne les palmes moralement. »

TOPAZE : Moralement?

MUCHE, *qui sort* : Moralement. C'est peut-être encore plus beau!

Il sort. Topaze reste un instant songeur, puis il retourne à la bibliothèque de fantaisie, classer ses volumes.

Topaze

.... *Scène* IV ....

TOPAZE, TAMISE

Entre Tamise. Il a visiblement le même tailleur que Topaze. Mais sa barbe est carrée, et il est plus petit. Serviette sous le bras, parapluie.

TAMISE : Bonjour, mon vieux.

TOPAZE : Tiens! bonjour, Tamise.

TAMISE : Ça ne va pas?

TOPAZE : Mais ça va très bien, au contraire! Figure-toi que M. l'Inspecteur d'Académie a déclaré à M. Muche, parlant à sa personne, qu'il me décernait les palmes académiques moralement.

TAMISE, *soupçonneux* : Moralement? Qu'est-ce que ça veut dire?

TOPAZE : Ça veut dire qu'il m'en juge digne et il a chargé le patron de m'annoncer, en propres termes, que je les ai moralement.

TAMISE : Oui, ça doit te faire tout de même plaisir, mais enfin tu ne les as pas.

TOPAZE : Oh! évidemment, si on regarde les choses de près, je ne les ai pas.

TAMISE : Et si tu veux que je te dise, ça ne m'étonne qu'à demi.

TOPAZE : Pourquoi?

TAMISE : Quand tu t'es fait inscrire parmi les postu-lants, je n'ai pas voulu formuler un avis que tu ne me demandais pas. Mais je n'ai pu m'empêcher de penser que tu t'y prenais un peu tôt. Regarde, moi, j'ai huit ans de plus que toi. Est-ce que j'ai demandé quelque chose? Non. J'attends.

TOPAZE : Mon cher, qui ne demande rien n'a rien.

TAMISE : Mais qui obtient trop tôt peut avoir l'air d'un arriviste.

TOPAZE : Ah! Tu me crois arriviste?

TAMISE : Non, non, j'ai dit : Peut avoir l'air!

La porte s'ouvre. Entre Panicault.

.... *Scène* V ....

TOPAZE, TAMISE, PANICAULT

Panicault est très grand, le dos voûté par les ans. Il a largement dépassé la soixantaine. Il a les dents vertes, et marche la pointe des pieds retroussée. Son chapeau de paille a des bords gondolés. Un parapluie verdâtre pendu au bras, il roule entre ses vieux doigts une cigarette fripée.

PANICAULT : Bonjour, mes chers collègues.

TOPAZE : Bonjour, monsieur Panicault.

PANICAULT : Je viens de trouver votre petit mot chez le concierge, et me voici à votre service. De quoi s'agit-il?

TOPAZE : Mon cher collègue, vous êtes notre doyen, et votre classe est un modèle de discipline. Voilà pourquoi, dans un cas difficile, j'ai eu l'idée de vous demander conseil.

PANICAULT : Très flatté. *(Il s'assoit sur le dossier d'un banc et tire de sa poche une énorme boîte d'allumettes soufrées, pour allumer sa cigarette.)* Je vous écoute.

TAMISE, *il fait mine de se retirer* : Je suis de trop?

TOPAZE : Au contraire, tu vas, toi aussi, profiter de la leçon. *(A Panicault.)* Figurez-vous qu'un de mes élèves — et j'ignore lequel — fait jouer pendant mes classes une sorte de boîte à musique qui n'émet que trois notes : ding! ding! dong!

PANICAULT : Bon.

TAMISE : Ah! les lascars!

PANICAULT : Et qu'avez-vous fait?

TOPAZE : J'ai tout essayé. Allusion, dans mes cours de morale, à la grave responsabilité de l'enfant qui gêne le travail de ses camarades; objurgations directes au délinquant inconnu, promesses d'amnistie complète s'il se dénonce; surveillance presque policière de ceux que je soupçonne : résultat nul. Et je suis sûr que je vais entendre, tout à l'heure encore, ces trois notes ironiques qui détruisent mon autorité et galvaudent mon prestige. Que faut-il faire?

TAMISE : Le cas est épineux.

PANICAULT : Oh! pas du tout! La musique, c'est courant... Tantôt ce sont des becs de plume plantés dans un pupitre; d'autres fois, c'est un élastique tendu qu'on pince avec le doigt; j'ai même vu une petite trompette. Eh bien, moi, chaque fois que j'entends ça, je mets Duhamel à la porte.

TAMISE : Mais comment faites-vous pour savoir que c'est lui?

PANICAULT : Oh, je ne dis pas que c'est toujours lui qui fait la musique; mais c'est toujours lui que je punis.

TOPAZE : Mais pourquoi?

PANICAULT : Parce qu'il a une tête à ça.

TOPAZE : Voyons, mon cher collègue, vous plaisantez?

PANICAULT : Pas le moins du monde.

TAMISE : Alors, vous avez choisi un bouc émissaire, un pauvre enfant qui paie pour tous les autres?

PANICAULT, *choqué* : Ah! permettez! Duhamel, c'est pour la musique seulement. En cas de boules puantes, je punis le jeune Trambouze. Quand ils ont bouché le tuyau du poêle avec un chiffon, c'est Jusserand qui passa à la porte. Et si je trouve un jour de la colle sur ma chaise, ce sera tant pis pour les frères Gisher!

TOPAZE : Mais c'est un véritable système!

PANICAULT : Parfaitement. Chacun sa responsabilité. Et ça n'est pas si injuste que ça peut en avoir l'air;

parce que, voyez-vous, un élève qui a une tête à boucher le tuyau de poêle, il est absolument certain qu'il le bouchera et, neuf fois sur dix, c'est lui qui l'aura bouché.

TOPAZE : Mais la dixième fois?

PANICAULT, *avec noblesse :* Erreur judiciaire, qui renforce mon autorité. Quand on doit diriger des enfants ou des hommes, il faut de temps en temps commettre une belle injustice, bien nette, bien criante : c'est ça qui leur en impose le plus!

TOPAZE : Mais avez-vous songé à l'amertume de l'enfant innocent et puni?

PANICAULT : Eh oui, j'y songe. Mais quoi! Ça le prépare pour la vie!

TOPAZE : Mais ne croyez-vous pas qu'une petite enquête peut démasquer les coupables?

PANICAULT : Les coupables, il vaut mieux les choisir que les chercher.

TAMISE, *sarcastique :* Et les choisir à cause de leur tête!

TOPAZE : Ce sont des procédés de Borgia, simplement!

PANICAULT : Eh bien, dites donc, et la vie, est-ce qu'elle ne fait pas comme ça? Tout ce qui nous arrive, c'est toujours à cause de notre tête. Et nous ne serions pas ici tous les trois si nous n'étions pas venus au monde avec ces trois pauvres gueules de pions. *(Topaze tousse et se lisse la barbe.)* Tenez, je vais vous raconter une petite histoire : lorsque j'ai passé mon brevet, en 1876...

> *A ce moment, on entend la voix d'un élève qui a dû appliquer sa bouche au trou de la serrure. Il crie :*

LA VOIX : *Panicault! Oh! Panicault!*
  Tu l'as mangé, l'haricot?

PANICAULT : Ne bougez pas! Continuons à parler, il doit nous écouter. En voilà un qui va se faire pincer.

(Il s'avance vers la porte à reculons, avec lenteur.) Il est évident que le brevet élémentaire est un examen périmé...

LA VOIX, *implorante :*
> Tu l'as mangé, l'haricot?

PANICAULT, *il continue sa manœuvre :* On devrait alléger les programmes! *(A voix basse.)* Parlez, bon Dieu!

TAMISE : Mais certainement, certainement!

LA VOIX : *Panicault! Oh! Panicault!*
> *Tu l'as mangé, l'haricot!*

PANICAULT, *fiévreux, à voix basse :* Parlez! parlez!

TOPAZE : Oui, pour le brevet élémentaire, on devrait certainement alléger l'haricot... C'est-à-dire les programmes.

PANICAULT : Il est à quatre pattes devant la porte... Je vois le haut de son derrière de scélérat!...

TAMISE : C'est d'ailleurs exactement la même chose pour le brevet supérieur.

LA VOIX, *vengeresse :*
> *Tu l'as mangé, l'haricot!*
> *Tu l'as mangé, l'haricot!*
> *Tu l'as mangé, l'haricot!*
> *Tu l'as mangé, l'hari...*

Panicault, qui est enfin arrivé à la porte, l'a ouverte brusquement. Il se rue sur un grand pendard en chaussettes, qu'il relève et saisit par le bras.

PANICAULT, *enthousiaste :* Chez le directeur! Chez le directeur!

LE PENDARD, *hurlant :* C'est pas moi! C'est pas moi!

PANICAULT : Chez le directeur! Chez le directeur!

Il l'emporte en le secouant avec une fureur triomphale.

Acte I

TOPAZE, TAMISE

TAMISE : Il sema l'injustice, il récolte l'injure.

TOPAZE : C'est logique. Ma méthode est peut-être moins efficace que la sienne, mais du moins aucun de mes élèves ne m'a jamais demandé si j'avais mangé l'haricot...

TAMISE : Évidemment. Et d'ailleurs, pour ton musicien, moi je vais te donner un plan pour le prendre sur le fait. La première fois que tu entendras la sérénade, reste impassible, continue ton cours comme si tu n'entendais rien, laisse-le s'exciter tout seul. Et, petit à petit, tu te rapproches de la source du bruit, *à reculons*. Et quand tu seras à peu près sûr, tu te retournes brusquement, tu sors le bonhomme de son banc et tu glisses la main dans le pupitre. Je te garantis que tu trouveras l'instrument, aussi sûr que je m'appelle Tamise.

TOPAZE : Ce plan me paraît très habile. Je ne vois qu'une objection, c'est que ta manœuvre comporte une feinte, une sorte de comédie préalable, qui n'est peut-être pas absolument loyale.

TAMISE : Le musicien qui t'exaspère depuis quinze jours n'est pas lui-même très loyal.

TOPAZE : Oui, mais, c'est un enfant...

Tamise hausse les épaules avec indulgence. La porte de gauche s'ouvre. Entre Ernestine Muche.

LES MÊMES, ERNESTINE

ERNESTINE : Bonjour, messieurs...

TAMISE, *il salue avec respect* : Mademoiselle...

ERNESTINE : Monsieur Topaze, voulez-vous me prêter la mappemonde?

TOPAZE : Avec le plus grand plaisir, mademoiselle...

Il va ouvrir un petit meuble noir qui contient les cartes et en tire une mappemonde Vidal-Lablache. Il l'offre galamment à Ernestine.

TAMISE, *mondain* : Vous avez ce matin une classe de géographie?

ERNESTINE : Oui, une leçon sur la répartition des continents et des mers.

TOPAZE : Voici, mademoiselle...

ERNESTINE : Je vous remercie, monsieur Topaze.

Topaze lui ouvre la porte. Elle sourit, elle sort.

TAMISE : Mon cher, je te demande pardon... Si je n'avais pas été là, elle serait peut-être restée... Il me semble que ça marche assez fort?

TOPAZE : Et tu ne sais pas tout! *(Confidentiel.)* Tout à l'heure, elle m'a positivement relancé.

TAMISE, *étonné et ravi* : Ah! bah?

TOPAZE : Elle m'a reproché ma froideur, tout simplement.

TAMISE, *même jeu* : Ah! bah?

TOPAZE : Elle n'a pas dit « froideur » bien entendu... Mais elle me l'a fait comprendre, avec toute sa pudeur de jeune fille. Et j'ai obtenu qu'elle me confie encore une fois les devoirs de ses élèves.

TAMISE : Elle a accepté?

TOPAZE : Les voici. *(Il désigne les liasses de devoirs.)* Les voici.

TAMISE : Et alors, tu n'as pu faire autrement que lui avouer ta flamme?

TOPAZE : Non. Non. Oh! je lui en ai dit de raides, mais je ne suis pas allé jusqu'à l'aveu.

TAMISE : Non?

TOPAZE : Non.

TAMISE : Eh bien, je ne sais pas si tu t'en rends compte, mais tu es un véritable Joseph!

TOPAZE : Mais non, mais non... Considère qu'il s'agit de la main d'Ernestine Muche...

TAMISE, *pensif* : C'est vrai. C'est un gros coup... Tu as visé haut, Topaze.

TOPAZE : Et si je réussis, beaucoup de gens, peut-être, diront que j'ai visé trop haut.

TAMISE : Évidemment... On pourra croire que tu as profité de ton physique pour mettre la main sur la pension Muche...

TOPAZE : C'est vrai, ça.

TAMISE, *un petit temps de réflexion, puis brusquement :* Et après tout, il faut être ambitieux... A la première occasion, le grand jeu.

TOPAZE : Le grand jeu. Qu'entends-tu par le grand jeu?

TAMISE : Tu prépares le terrain par des regards significatifs. Tu sais, les yeux presque fermés... le regard filtrant...

> *Il rejette légèrement la tête en arrière et ferme les yeux à demi pour donner un exemple du regard « filtrant ».*

TOPAZE : Tu crois que c'est bon?

TAMISE : Si tu le réussis c'est épatant. Ensuite, tu t'approches d'elle, tu adoucis ta voix, et vas-y.

TOPAZE : Vas-y... Mais comment y va-t-on?

TAMISE : Un peu d'émotion, un peu de poésie, et une demande en bonne et due forme. Si tu vois qu'elle hésite, sois hardi. *(Il fait le geste de prendre une femme dans ses bras.)* Un baiser.

TOPAZE : Un baiser! Mais que dira-t-elle?

TAMISE : Il se pourrait qu'elle se pâmât soudain, en murmurant : « Topaze... Topaze. »

TOPAZE : Ça, ce serait formidable, mais je n'ose pas l'espérer.

TAMISE : On ne sait jamais. Ou alors, il se pourrait que sa pudeur lui inspirât une petite réaction, par exemple elle te repoussera, elle te dira : « Que faites-vous là, monsieur? » Mais ça n'a aucune importance. Tant qu'elle n'appelle pas : « Au secours », ça veut dire : « Oui ».

TOPAZE, *après un temps* : Comment, le baiser? Sur le front?

TAMISE : Malheureux! Un baiser sur *la bouche!*

TOPAZE : Sur la bouche... Tu as fait ça, toi?

TAMISE, *gaillard* : Vingt fois.

TOPAZE, *décidé* : J'essaierai... Ce qui m'inquiète davantage, c'est le père.

TAMISE : Ah!... le père, ce n'est certainement pas la même manœuvre.

TOPAZE : Je suis sûr qu'il m'estime et qu'il me sait parfaitement honnête... Mais un refus de sa part me ferait tellement de peine que... Je crois qu'il faudrait le sonder...

TAMISE : Toi, je te vois venir : tu veux que je m'en charge!

TOPAZE : Je n'osais pas te le demander.

TAMISE : Entendu. A la première occasion.

TOPAZE : Fais ça discrètement, qu'il ne se doute de rien.

TAMISE : Oh! Tu me connais. Je m'approcherai de la question à pas de loup.

TOPAZE : Le moment me paraît favorable, car ce matin même je lui ai annoncé l'arrivée d'un nouvel élève.

TAMISE : Où l'as-tu déniché?

TOPAZE : C'est un enfant à qui je donnais des leçons en ville et j'ai conseillé à la famille de le mettre ici.

TAMISE : Eh! gros malin! Tu as fait plaisir au patron, mais tu risques de perdre tes leçons!

TOPAZE : Je ne tiens pas à les conserver.

TAMISE : Mal payées?

TOPAZE : Au contraire. Mais c'est toute une histoire. Figure-toi que cet enfant habite chez une jeune femme qui est sa tante. Toute jeune. Ni mariée, ni divorcée, ni veuve.

TAMISE, *perplexe* : Alors, qu'est-ce qu'elle est?

TOPAZE : Je la crois orpheline. Mais fort riche... Le premier jour, elle m'a reçu dans un boudoir des *Mille et Une Nuits*. Des étoffes de soie, des tableaux anciens, des coussins par terre. Le tapis était épais, souple, et avec ça — ça a l'air d'une blague! — il dépasse sous la porte jusqu'au bas des escaliers.

TAMISE, *petit sifflement* : Fu-ou... ça suppose de la fortune.

TOPAZE : Oh!... tu penses! Presque tous les jours, après ma leçon, un monsieur fort distingué — qui doit être un domestique, quoiqu'il soit toujours en habit — me conduisait dans ce boudoir et la jeune femme m'interrogeait sur les progrès de l'enfant... Eh bien, mon cher, c'est peut-être à cause du décor, ou du parfum qu'elle répand, mais chaque fois que je lui ai parlé, je n'ai jamais pu savoir ce que je lui avais dit...

TAMISE, *ton de blâme navré* : Oh!... Oh!... Tu n'es pas mondain pour un sou.

TOPAZE : J'aurais bien voulu t'y voir. Elle s'asseyait sur un coussin, elle avait des bas tissés de la plus fine soie, et de petits souliers précieux... En peau de gant, ou en peau de serpent, et même une fois en or...

TAMISE, *décisif* : Vu : c'est une chanteuse.

TOPAZE, *violent* : Allons donc. Ne juge pas aussi brutalement une personne que tu n'as jamais vue. C'est une femme du monde, et du grand monde... J'ai rencontré plusieurs fois chez elle un monsieur qui a dû être un ami de son père, et qui porte la rosette de la Légion d'honneur... Et alors, voilà ce que j'ai pensé...

> *A ce moment, on voit par la fenêtre un grand mouvement dans la cour. M. Le Ribouchon passe, affolé. On le voit revenir presque immédiatement. Il précède, son feutre à la main, une femme extrêmement élégante. Topaze donne tous les signes de la plus vive émotion.*

TOPAZE : Sacré bon Dieu! la voilà!... C'est elle... Va-t'en... C'est elle...

> *La porte s'ouvre. M. Le Ribouchon se penche et dit d'une voix d'eunuque.*

LE RIBOUCHON : Monsieur Topaze, une dame désire vous parler... *(Il se tourne vers la dame qui le suit.)* Le voici, madame...

> *Il s'efface pour laisser entrer la dame, et referme la porte. Tamise se retire dans sa classe.*

. . . . *Scène* VIII . . . .

SUZY, TOPAZE

> *C'est Mme Suzy Courtois qui vient d'entrer. Elle a vingt-cinq ans, elle est très jolie, et vêtue avec une grande élégance. Petit chapeau de feutre sur des cheveux blonds, un vison splendide sur une robe très moderne. Elle s'avance en souriant vers Topaze qui s'efforce de faire bonne contenance.*

SUZY : Bonjour, monsieur Topaze...

TOPAZE : Bonjour, madame.

SUZY : J'ai voulu visiter la pension Muche avant de voir le directeur... Et je crois que j'ai bien fait...

TOPAZE : Mais certainement, madame, sans aucun doute possible, madame. Et si vous voulez bien me le permettre, je vais vous précéder jusqu'au bureau de M. Muche qui sera charmé de vous voir.

suzy : Ici, c'est votre classe?

topaze : Oui, madame.

suzy : Où sont les autres cours de récréation?

topaze, *étonné* : Les autres cours?

suzy : J'imagine que ces enfants peuvent aller jouer dans une sorte de jardin?

topaze : Non, madame, non. Je comprends que cette cour peut vous paraître petite, mais elle est en réalité agrandie par un règlement adroit. M. Muche a remarqué qu'un élève qui court occupe beaucoup plus de place qu'un élève immobile. Il a donc interdit tous les jeux qui exigent des déplacements rapides, et la cour s'en est trouvée agrandie.

suzy : C'est en partant du même principe que l'on arrive à faire tenir dans un tout petit bocal un grand nombre d'anchois... *(Topaze sourit faiblement.)* Ces portes, tout autour, ce sont les classes?

topaze : Oui, madame, il y en a six, comme vous voyez.

suzy : Eh bien, mon cher monsieur Topaze, la pension Muche n'est pas du tout ce que j'imaginais...

topaze : Ah! oui? souvent on imagine les choses d'une façon, et puis la réalité est tout autre.

suzy : Oui, tout autre...

topaze : Vous pensiez peut-être que ma classe serait plus petite, ou que nous avions encore l'éclairage au gaz?

suzy : Non. Je pensais que la pension Muche se composait d'autre chose que cinq ou six caves autour d'un puits.

topaze : Ah? En somme, votre impression serait plutôt défavorable?

SUZY : Nettement.

TOPAZE, *consterné* : Ah! Nettement! Fort bien!

SUZY : Je sais que vous êtes un excellent professeur, mais ce que je vois de la pension Muche m'ôte l'envie d'y enfermer un enfant.

TOPAZE : Tant pis, tant pis, madame.

SUZY : J'espère que cette décision ne vous blesse pas?

TOPAZE : C'est un petit contretemps, rien de plus... Je dis contretemps, parce que j'avais déjà parlé à M. Muche de la brillante recrue que je me flattais de lui amener. Il croira certainement que j'avais parlé à la légère.

SUZY : Dans ce cas, j'irai le voir moi-même et je lui expliquerai la chose de façon à dégager entièrement votre responsabilité.

TOPAZE : Vous êtes trop bonne, madame.

SUZY : Quant à Gaston, vous viendrez désormais lui donner chaque jour deux heures de leçon.

TOPAZE : Deux heures? C'est malheureusement impossible. Mon emploi du temps ne m'en laisse pas le loisir.

SUZY : Eh bien, dans ce cas, vous viendrez une heure, comme par le passé.

················ *Scène* IX ················

LES MÊMES, MUCHE

MUCHE, *souriant, la bouche enfarinée, paraît. Il s'efforce de paraître homme du monde :* Monsieur Topaze, faites-moi, je vous prie, la grâce de me présenter.

TOPAZE : J'ai l'honneur, madame, de vous présenter M. le directeur. *(A Muche.)* Mme Courtois, dont je vous parlais tout à l'heure.

MUCHE : Madame, je suis profondément honoré...

SUZY : Je suis charmée, monsieur... M. Topaze vous a parlé d'un projet...

MUCHE : Mais oui, madame...

SUZY : Qui n'est encore qu'un projet... J'ai un neveu...

MUCHE, *automatique* : Charmant enfant.

SUZY : Vous le connaissez?

MUCHE : Pas encore, mais mon excellent collaborateur m'en a dit le plus grand bien.

SUZY : Sur le conseil de M. Topaze, j'ai songé à vous le confier.

MUCHE : C'est une heureuse idée, madame... Cet enfant, en qui je devine un sujet d'élite, ne peut manquer de s'épanouir tout naturellement entre nos mains. Nous avons une grande habitude de ces jeunes intelligences qui sont comme des fleurs en bouton, et qu'il faut déplier feuille à feuille, sans les froisser ni les déformer.

SUZY : J'en suis certaine. Cependant, je dois vous dire que ma résolution n'est pas encore définitive. L'enfant est d'une santé fragile et je voudrais d'abord consulter un médecin, pour savoir s'il pourra supporter les fatigues de l'internat.

MUCHE : Madame, permettez-moi de vous dire que nous avons pour ainsi dire la spécialité des enfants malingres, et que tous repartent d'ici avec de bonnes joues et des membres revigorés.

SUZY : En somme, vous diriez presque que la pension Muche est un sanatorium?

MUCHE : Je n'irai pas jusque-là, madame; mais je ne doute pas que votre neveu, en moins d'un an, ne gagne ici autant de vigueur que de science.

SUZY : Je ne suis pas loin de le croire... Et je suis toute disposée à en faire l'expérience, si toutefois le médecin le permet.

MUCHE : Madame, quelle que soit la décision que vous prendrez, je serai toujours reconnaissant à M. Topaze qui m'a fourni l'occasion de vous être présenté.

SUZY : Vous avez là le plus précieux des collaborateurs, monsieur.

MUCHE : Oh! je le sais, madame, et il n'ignore pas lui-même qu'il a mon estime et mon amitié.

SUZY : Il mérite certainement les deux. Au revoir, monsieur Topaze. Je vous attends donc ce soir à cinq heures pour la leçon de Gaston.

TOPAZE : C'est entendu, madame.

MUCHE, *il ouvre la porte, laisse passer Suzy et la suit tout en parlant* : Si vous voulez me permettre, madame, de vous précéder jusque dans mon bureau, je pourrai vous montrer les brillants résultats obtenus par nos élèves aux différents examens, et vous donner un aperçu de nos méthodes pédagogiques, qui sont parmi les plus modernes et les plus...

.... *Scène* x ....

TOPAZE, *resté seul, réfléchit quelques secondes. Il murmure* : Ça va s'arranger... Ça va probablement s'arranger...

Entre Ernestine.

.... *Scène* XI ....

TOPAZE, ERNESTINE

Ernestine entre par la porte de gauche. Elle rapporte le flacon d'encre rouge.

ERNESTINE : Eh bien, cher collègue, vous en recevez des belles dames!

TOPAZE, *rougissant* : Cette personne est un parent d'élève. C'est-à-dire que son neveu...

ERNESTINE : C'est-à-dire que je comprends pourquoi vous m'avez négligée depuis quelque temps!

TOPAZE, *très ému* : Mademoiselle!

ERNESTINE : Vous portiez vos calendriers perpétuels à d'autres ! Tenez, voilà votre encre. Je vous la rends, quoique cette dame ne me paraisse guère en avoir besoin.

TOPAZE : Mademoiselle, je vous en supplie, ne vous fâchez pas !

ERNESTINE : Monsieur Topaze, je ne me fâche pas ; je viens au contraire vous demander un grand service.

TOPAZE : Je tiens à vous dire que je suis à votre entière disposition.

ERNESTINE : Nous allons voir. *(Elle se rapproche.)* Figurez-vous que je prends des leçons de chant.

TOPAZE : Ah ! je suis sûr que vous avez une très jolie voix !

ERNESTINE : Oui, très jolie. Je vais chez mon professeur le jeudi matin, de dix heures à midi. Mon père ne sait pas que je prends ces leçons. C'est un petit secret entre ma mère et moi.

TOPAZE, *attendri :* Je vous remercie de cette confidence... C'est un petit secret de plus entre nous.

ERNESTINE : Exactement. Or, M. le directeur vient de décider que le service d'été commencera jeudi prochain. Ça ne vous dit rien ?

TOPAZE : Ça me dit beaucoup, naturellement. Beaucoup. Mais dans le détail, je ne vois pas exactement quoi.

ERNESTINE : Eh bien, il va falloir que, le jeudi matin, j'emmène à la promenade tous les élèves de la classe enfantine. De dix à douze.

TOPAZE : De dix à douze. *(Frappé d'une idée.)* Ah ! Mais alors, vous voilà forcée de renoncer à vos leçons de chant !

ERNESTINE : Sans aucun doute.

TOPAZE : Mais c'est navrant ! Il est évident que vous ne pouvez être à la même heure en deux endroits différents !

ERNESTINE : Comprenez-vous quel service je veux vous demander?

TOPAZE : Parfaitement. Vous voulez que j'expose la situation à M. Muche, et qu'il change l'heure de la promenade?

ERNESTINE : Pas du tout. Je veux que vous conduisiez la promenade à ma place.

TOPAZE : Mais oui! *(Joyeux.)* Et moi qui n'ai justement rien à faire le jeudi matin!

ERNESTINE : Parfait. Je vais donc dire à mon père que vous demandez à conduire la promenade, parce que, comme vous ne sortez jamais, ça vous donnera l'occasion de prendre l'air.

TOPAZE : Excellent! O ruse féminine! *(Il se rapproche d'elle. Avec émotion.)* Mademoiselle Muche... C'est avec une joie profonde que je mènerai ces enfants à la promenade, parce que je... parce que je vous aime. *(Il fait le regard filtrant.)*

ERNESTINE : Monsieur Topaze, je vous en prie...

TOPAZE, *il se rapproche. Son regard est de plus en plus filtrant :* Je vous aime... Non pas d'une passion perverse et déshonorante, mais d'un amour honnête et profond, pour tout dire, conjugal. *(Il s'est encore rapproché. Elle a peine à retenir son envie de rire. Il la prend brusquement dans ses bras.)* Laissez-moi vous dire... Laissez-moi vous dire... *(Il l'embrasse. Elle le repousse vigoureusement et le gifle.)*

ERNESTINE : Monsieur Topaze, à quoi pensez-vous? Est-ce ainsi qu'on s'adresse à une jeune fille? Tâchez de ne pas recommencer cette plaisanterie, je vous prie. Et n'oubliez pas que jeudi vous faites la promenade à ma place. *(Elle sort.)*

TOPAZE : Elle a eu la petite réaction prévue... Divine pudeur... Mais elle n'a pas appelé au secours, je crois que ça y est! *(Il se frotte la joue et répète.)* Divine pudeur.

Acte I

*Un terrible roulement de tambour est répercuté par
les quatre murs de la citerne.*
*On voit à travers la porte-fenêtre des enfants qui se
mettent en rangs devant la classe. Topaze va leur
ouvrir la porte. Mais ils n'entrent pas. Ils attendent
son ordre. Il dit :* Allez ! *Toute la classe, qui se
compose d'une douzaine de gamins de dix à douze
ans, entre. Ils sont deux par deux.*

. . . . *Scène* XII . . . .

TOPAZE, LES ÉLÈVES

*Les enfants vont à leur place où ils restent debout,
les bras croisés, à côté de leur banc. Topaze, debout
sur l'estrade, attend que cette manœuvre soit terminée.
Alors il frappe dans ses mains. Tous les enfants
s'assoient. Ils ouvrent leurs serviettes ; ils sortent
des cahiers, des livres. Quelques-uns bavardent.
Topaze, immobile, surveille tout ce mouvement d'un
air sévère.*

TOPAZE, *voix autoritaire :* Monsieur Cordier, vous
croyez-vous sur une place publique ?

M. Cordier, douze ans, baisse le nez vers son cahier.

TOPAZE : Monsieur Jusserand, aujourd'hui encore vous
avez négligé d'arracher la feuille quotidienne. *(Il
montre le calendrier.)* Je vous retire donc le calendrier.

JUSSERAND, *écœuré :* Ben vrai !

TOPAZE, *sévèrement :* Silence, monsieur ! *(Puis avec une
bienveillance épanouie.)* Monsieur Blondet, vos notes
de cette semaine sont excellentes, je vous confie le
calendrier. Dépouillez-le donc aussitôt de cette feuille
périmée.

BLONDET : Merci, m'sieur !

*M. Blondet va arracher la feuille qu'il jette dans le
panier à papiers. Cependant, Topaze est allé s'asseoir
à sa chaire. Il tire de sa poche un formidable oignon,*

31

*et le pose devant lui. Il ouvre ses tiroirs et en sort
divers accessoires ; carnets de notes, porte-plume,
un petit chiffon pour éclaircir ses lunettes, un essuie-
plumes, etc. On voit sous la chaire, entre le bas d'un
pantalon luisant et des bottines à boutons, ses chaussettes de coton blanc. Un silence.*

TOPAZE, *solennel* : Demain matin, de huit heures et
demie à neuf heures et demie, composition de morale.
Inscrivez, je vous prie, la date de ce concours sur vos
cahiers de texte individuels.

*Remue-ménage. On ouvre des cahiers. Topaze se
lève, va au tableau, prend la craie, et écrit en grosses
lettres :*

Mercredi 17 janvier...

*A ce moment, au dernier banc, avec des chu-
chotements irrités, deux élèves échangent quelques
horions.*

TOPAZE, *au tableau sans tourner la tête* : Monsieur Kerguézec, je n'ai pas besoin de tourner la tête pour savoir
que c'est vous qui troublez la classe...

Il écrit sur la deuxième ligne : Composition de
morale. *A ce moment, l'élève Séguédille, assis
au fond à droite, accomplit l'exploit qu'il préparait
depuis son entrée. Avec un fil de caoutchouc, il
lance un morceau de papier roulé qui va frapper
le tableau à côté de Topaze. Le professeur se retourne
brusquement, comme mû par un ressort. Les yeux
fermés, la barbe hérissée, il tend un index menaçant
vers la gauche de la classe et crie.*

TOPAZE : Kerguézec! A la porte... Je vous ai vu. *(Silence
de mort. L'élève Séguédille, la tête baissée, rigole doucement.)* Kerguézec, inutile de vous cacher. Je vous
ordonne de sortir. *(Silence.)* Où est Kerguézec?

L'ÉLÈVE CORDIER, *il se lève timidement* : Sieur, il est
absent depuis trois jours...

TOPAZE, *démonté* : Ah! il est absent? Eh bien, soit, il est
absent. Quant à vous, monsieur Cordier, je vous conseille

de ne pas faire la forte tête Allons, écrivez. *(Un
silence. Topaze est allé se rasseoir à sa chaire. Et il
commence sa leçon.)* Pour nous préparer à la composition
de morale qui aura lieu *(il montre l'inscription au
tableau)* demain mercredi, nous allons faire aujourd'hui,
oralement, une sorte de revision générale. Toutefois,
avant de commencer cette revision, je veux parler à l'un
d'entre vous, à celui qui depuis quelques jours trouble
nos classes par une musique inopportune. Je le prie, pour
la dernière fois, de ne point recommencer aujourd'hui sa
petite plaisanterie que je lui pardonne volontiers. Je suis
sûr qu'il a compris et que je n'aurai pas fait appel en vain
à son sens moral. *(Un très court silence. Puis la musique
commence, plus ironique que jamais. Topaze rougit de
colère, mais se contient.)* Bien : désormais, j'ai les mains
libres. *(Un silence.)* Travaillons. *(Un court silence.)* Je
vous préviens tout de suite. La question que vous aurez
à traiter demain, et qui décidera de votre rang, ne sera
pas particulière et limitée comme le serait une question
sur la patrie, le civisme, les devoirs envers les parents ou
les animaux. Non. Ce sera plutôt, si j'ose dire, une
question fondamentale sur les notions de bien et de mal,
ou sur le vice ou la vertu. Pour vous préparer à cette
épreuve, nous allons nous pencher sur les mœurs des
peuples civilisés, et nous allons voir ensemble quelles
sont les nécessités *vitales* qui nous forcent d'obéir à la loi
morale, même si notre esprit n'était pas *naturellement
porté à la respecter. (On entend chanter la musique.
Topaze ne bronche pas.)* Prenons des exemples dans la
réalité quotidienne. Voyons. *(Il cherche un nom sur son
carnet.)* Élève Tronche-Bobine. *(L'élève Tronche-Bobine
se lève, il est emmitouflé de cache-nez ; il a des bas à
grosses côtes, et un sweater de laine sous sa blouse.)*
Pour réussir dans la vie, c'est-à-dire pour y occuper
une situation qui corresponde à votre mérite, que
faut-il faire?

L'ÉLÈVE TRONCHE *réfléchit fortement :* Il faut faire
attention.

TOPAZE : Si vous voulez. Il faut faire... attention à
quoi?

L'ÉLÈVE TRONCHE, *décisif* : Aux courants d'air.

Toute la classe rit.

TOPAZE, *il frappe à petits coups rapides sur son bureau pour rétablir le silence* : Élève Tronche, ce que vous dites n'est pas entièrement absurde, puisque vous répétez un conseil que vous a donné madame votre mère, mais vous ne touchez pas au fond même de la question. Pour réussir dans la vie, il faut être... Il faut être?... *(L'élève Tronche sue horriblement, plusieurs élèves lèvent le doigt pour répondre en disant :* M'sieu... M'sieu... *Topaze repousse ces avances.)* Laissez répondre celui que j'interroge. Élève Tronche, votre dernière note fut un zéro. Essayez de l'améliorer... Il faut être ho... ho...

> *Toute la classe attend la réponse de l'élève Tronche. Topaze se penche vers lui.*

L'ÉLÈVE TRONCHE, *perdu* : Horrible!

> *Éclat de rire général accompagné d'une ritournelle de boîte à musique.*

TOPAZE, *découragé* : Zéro, asseyez-vous. *(Il inscrit le zéro.)* Il faut être *honnête*. Et nous allons vous en donner quelques exemples décisifs. D'abord toute entreprise malhonnête est vouée par avance à un échec certain. *(Musique. Topaze ne bronche pas.)* Chaque jour, nous voyons dans les journaux que l'on ne brave point impunément les lois humaines. Tantôt, c'est le crime horrible d'un fou qui égorge l'un de ses semblables, pour s'approprier le contenu d'un portefeuille; d'autres fois, c'est un homme alerte, qui, muni d'une grande prudence et d'outils spéciaux, ouvre illégalement la serrure d'un coffre-fort pour y dérober des titres de rente; tantôt, enfin, c'est un caissier qui a perdu l'argent de son patron en l'engageant à tort sur le résultat futur d'une course chevaline. *(Avec force.)* Tous ces malheureux sont aussitôt arrêtés, et traînés par les gendarmes aux pieds de leurs juges. De là, ils seront emmenés dans une prison pour y être péniblement régénérés. Ces exemples prouvent que le mal reçoit une punition immédiate et que s'écarter du droit chemin, c'est tomber dans un gouffre sans fond. *(Musique.)* Supposons maintenant que par extraordinaire un malhonnête homme... ait réussi à s'enrichir. Représentons-nous cet homme, jouissant d'un luxe mal gagné. Il est admirablement vêtu, il habite à lui seul plusieurs étages. Deux laquais veillent sur lui. Il a de plus une servante qui ne fait que la cuisine, et un domestique spécialiste pour conduire son automobile. Cet homme a-t-il des amis?

> *L'élève Cordier lève le doigt. Topaze lui fait signe. Il se lève.*

CORDIER : Oui, il a des amis.

TOPAZE, *ironique* : Ah? vous croyez qu'il a des amis?

CORDIER : Oui, il a beaucoup d'amis.

TOPAZE : Et pourquoi aurait-il des amis?

CORDIER : Pour monter dans son automobile.

TOPAZE, *avec feu* : Non, monsieur Cordier... Des gens pareils... s'il en existait, ne seraient que de vils courtisans... L'homme dont nous parlons n'a point d'amis. Ceux qui l'ont connu jadis savent que sa fortune n'est point légitime. On le fuit comme un pestiféré. Alors, que fait-il?

ÉLÈVE DURANT-VICTOR : Il déménage.

TOPAZE : Peut-être. Mais qu'arrive-t-il dans sa nouvelle résidence?

DURANT-VICTOR : Ça s'arrangera.

TOPAZE : Non, monsieur Durant-Victor, ça ne peut pas s'arranger, parce que, quoi qu'il fasse, où qu'il aille, il lui manquera toujours l'approbation de sa cons... de sa cons...

> *Il cherche des yeux l'élève qui va répondre. L'élève Pitart-Vergniolles lève le doigt.*

PITART-VERGNIOLLES : De sa concierge.

Explosion de rires.

TOPAZE, *grave* : Monsieur Pitart-Vergniolles, j'aime à croire que cette réponse saugrenue n'était point préméditée. Mais vous pourriez réfléchir avant de parler. Vous eussiez ainsi évité un zéro qui porte à votre moyenne un coup sensible. *(Il inscrit le zéro fatal.)* Ce malhonnête homme n'aura jamais l'approbation de sa *conscience*. Alors, tourmenté jour et nuit, pâle, amaigri, exténué, pour retrouver enfin la paix et la joie, il distribuera aux pauvres toute sa fortune parce qu'il aura compris que...

> *Pendant ces derniers mots, Topaze a pris derrière lui un long bambou et il montre, du bout de cette badine, l'une des maximes sur le mur.*

TOUTE LA CLASSE, *en chœur d'une voix chantante* : Bien mal acquis ne profite jamais...

TOPAZE : Bien. Et que...

Il montre une autre maxime.

TOUTE LA CLASSE, *même jeu* : L'argent ne fait pas le bonheur...

TOPAZE : Parfait. Voyons maintenant le sort de l'honnête homme. Élève Séguédille, voulez-vous me dire quel est l'état d'esprit de l'honnête homme après une journée de travail?

ÉLÈVE SÉGUÉDILLE : Il est fatigué.

TOPAZE : Vous avez donc oublié ce que nous avons dit vingt fois dans cette classe. Le travail est-il fatigant?

ÉLÈVE BERTIN, *il se lève les bras croisés et récite d'un trait* : Le travail ne fatigue personne. Ce qui fatigue, c'est l'oisiveté, mère de tous les vices.

TOPAZE : Parfait! Monsieur Bertin, je vous donne un dix. Si cet honnête homme est caissier, même dans une grande banque, il rendra ses comptes avec une minutie scrupuleuse et son patron charmé l'augmentera tous les mois. *(A ce moment, la musique commence à*

vibrer frénétiquement. Topaze se lève.) S'il est commer-
çant, il repoussera les bénéfices exagérés ou illicites;
il en sera récompensé par l'estime de tous ceux qui le
connaissent et dont la confiance fera prospérer ses
affaires. *(Topaze se rapproche peu à peu de l'élève Séguédille.)* Si une guerre éclate, il ira s'engager dans l'armée
de son pays et s'il a la chance d'être gravement blessé,
le gouvernement l'enrichira d'une décoration qui le
désignera à l'admiration de ses concitoyens. Tous les
enfants le salueront sans le connaître, et sur son passage, les vieillards diront entre eux : « Passez à la porte,
immédiatement! »

> *Topaze s'est brusquement retourné et s'est précipité
> sur l'élève Séguédille.*

SÉGUÉDILLE, *terrorisé* : C'est pas moi... c'est pas moi...

TOPAZE, *triomphant* : Ah! ce n'est pas vous!... Sortez
de votre banc; sortez! *(Il le tire hors du banc, passe sa
main sous le pupitre et en sort un moulinet à musique.)*
Ah! ah!... voici l'instrument. *(Il le fait sonner.)* Monsieur Séguédille, votre affaire est claire... Vous prenez
donc ma bonté pour de la faiblesse? *(Silence.)* Ma
patience pour de l'aveuglement? Ha, ha, monsieur Séguédille, sachez que le gant de velours cache une main
de fer... *(Il brandit sa main, les doigts écartés.)* Et si
vous avez le mauvais esprit, je vous briserai. *(M. Séguédille, tremblant, se prépare à sortir.)* Où allez-vous?

SÉGUÉDILLE : A la porte.

TOPAZE, *il le regarde un instant* : Eh bien, non. Restez
ici. *(Il le met au piquet près de la bibliothèque.)* Sous
les yeux de vos camarades qui vous jugent sévèrement.
*(Éclat de rire général. Topaze frappe sur son bureau.
Silence.)* A la fin de la classe, je statuerai sur votre
sort. Jusque-là, je vous condamne à *l'incertitude*... *(Un
temps.)* Après cet incident pénible, revenons à nos travaux... Nous disions donc...

> *La porte s'ouvre. Tous les élèves se lèvent, les bras
> croisés. Entre M. Muche, qui précède la baronne
> Pitart-Vergniolles. Elle a quarante ans depuis*

cinq ans et de la moustache. M. Topaze se lève, s'avance vers M. Muche et salue profondément la baronne.

.... *Scène* XIII ....

TOPAZE, MUCHE, LA BARONNE

MUCHE : Monsieur Topaze, Mme la baronne Pitart-Vergniolles désire vous parler.

TOPAZE : Monsieur le directeur, je suis à votre entière disposition, quoique ma leçon ne soit point terminée... Et il serait peut-être préférable, dans l'intérêt des élèves...

MUCHE : La matière ne souffre point de retard. *(Il se tourne vers les élèves qui sont restés debout.)* Mes enfants, vous pouvez aller jouer. *(A Topaze.)* J'ai prévenu M. Le Ribouchon qui les surveillera.

Les élèves sortent. L'un d'eux se détache des rangs et vient embrasser la baronne. C'est le jeune Pitart-Vergniolles.

MUCHE, *souriant* : Le charmant enfant...

LA BARONNE, *à Topaze* : Je viens vous demander, monsieur Topaze, ce que vous pensez du travail de mon fils Agénor...

TOPAZE : Madame, je serais très heureux de vous le dire, mais je préférerais que cet enfant n'entendît pas notre conversation.

MUCHE, *à la baronne* : Excellent principe... Allez rejoindre vos camarades... *(La baronne embrasse l'enfant qui sort.)* Enfant sympathique et bien élevé.

LA BARONNE, *à Topaze* : Il vous aime beaucoup, monsieur. Il parle souvent de vous à son père en des termes qui marquent une grande estime.

TOPAZE : J'en suis très heureux, madame... Je tiens à mériter l'estime de mes élèves...

MUCHE : Vous l'avez, mon cher Topaze... Je dirai même que vous savez gagner leur affection.

Topaze se rengorge et sourit.

LA BARONNE : L'enfant vous apprécie à tel point qu'il a exigé que je vienne vous demander des leçons particulières...

MUCHE, *à Topaze* : Tout à votre louange...

TOPAZE : J'en suis très flatté, madame...

LA BARONNE : Il en a eu envie comme d'une friandise ou d'un jouet... C'est charmant, n'est-ce pas? Je viens donc vous dire, monsieur, que vous lui donnerez chaque semaine autant d'heures que vous voudrez, et au prix que vous fixerez...

MUCHE : Hé, hé... très significatif...

LA BARONNE : Quand on a la chance de rencontrer un maître de cette valeur, le mieux que l'on puisse faire, c'est de s'en remettre à lui entièrement...

TOPAZE : Madame, j'en suis confus...

LA BARONNE : Et de quoi seriez-vous confus? D'être la perle des professeurs?

TOPAZE : Oh! madame...

LA BARONNE : C'est donc entendu. Vous viendrez chez moi demain soir et vous me mettrez au courant de ce que vous aurez décidé pour le nombre et le prix des leçons.

TOPAZE : C'est entendu, madame. Je vais vous dire, d'ailleurs, tout de suite quelles sont mes heures de liberté... *(Il feuillette un petit carnet.)*

LA BARONNE : Demain, demain... Permettez-moi maintenant de vous parler d'une affaire qui me tient à cœur...

MUCHE : Oh! Une bagatelle qui sera promptement rectifiée...

TOPAZE : De quoi s'agit-il, madame?

LA BARONNE, *elle tire de son sac une enveloppe* : Je viens de recevoir les notes trimestrielles de mon fils et je n'ai pas osé montrer ce bulletin à son père...

MUCHE : J'ai déjà expliqué à Mme la baronne qu'il y a eu sans doute une erreur de la part du secrétaire qui recopie vos notes...

TOPAZE : Je ne crois pas, monsieur le directeur... Car je n'ai pas de secrétaire, et ce bulletin a été rédigé de ma main...

Il prend le bulletin et l'examine.

MUCHE, *il appuie sur certaines phrases* : Mme la baronne, qui vient de vous demander des *leçons particulières, a trois enfants dans notre maison,* et je lui ai moi-même de *grandes obligations !*... C'est pourquoi je ne serais pas étonné qu'il y *eût* une erreur.

TOPAZE *regarde le bulletin* : Pourtant, ces notes sont bien celles que j'ai données à l'élève...

LA BARONNE : Comment? *(Elle lit sur le bulletin.)* Français : zéro. Calcul : zéro. Histoire : un quart. Morale : zéro.

MUCHE : Allons! Regardez bien, monsieur Topaze... Regardez *de plus près,* avec *toute votre perspicacité...*

TOPAZE : Oh! c'est vite vu... Il n'a eu que des zéros... Je vais vous montrer mes cahiers de notes... *(Il prend un cahier ouvert.)*

MUCHE, *il lui prend le cahier et le referme* : Écoutez-moi, mon cher ami. Il n'y a pas grand mal à se tromper : *Errare humanum est, perseverare diabolicum. (Il le regarde fixement entre les deux yeux.)* Voulez-vous être assez bon pour refaire le calcul de la moyenne de cet enfant?

TOPAZE : Bien volontiers... Ce ne sera pas long...

Il s'installe à sa chaire, ouvre plusieurs cahiers et commence ses calculs. Cependant, la baronne et Muche, debout, de part et d'autre de la chaire, échan-

*gent quelques phrases à haute voix, tout en regardant
Topaze.*

MUCHE : Aurez-vous bientôt, madame la baronne, l'occasion de rencontrer M. l'Inspecteur d'Académie?

LA BARONNE : Je le verrai mercredi, car c'est le mercredi
soir qu'il a son couvert chez moi... C'est un ancien
condisciple du baron, il a pour nous une très grande
amitié...

MUCHE : Il a beaucoup d'estime pour notre ami M. Topaze, mais il n'a pas pu lui donner les palmes cette
année... Il ne les lui a décernées que moralement.

LA BARONNE : Oh!... M. Topaze aura son ruban à la
première occasion. Je vous le promets!

MUCHE : Dites donc, mon cher ami, Mme la baronne
promet que vous aurez réellement les palmes l'an prochain...

TOPAZE, *il relève la tête* : Ce serait vraiment une grande
joie, madame... Cette nouvelle est pour moi plus que
vous ne pensez, madame...

MUCHE : Vous avez retrouvé l'erreur?

TOPAZE : Mais non... Il n'y a pas d'erreur...

MUCHE, *impatienté* : Voyons, voyons, soyez logique
avec vous-même!... Vous croyez Mme la baronne quand
elle vous dit que vous aurez les palmes et vous ne la
croyez pas quand elle affirme qu'il y a une erreur!

TOPAZE : Mais madame, je vous jure qu'il n'y a pas
d'erreur possible. Sa meilleure note est un 2... Il a eu
encore un zéro hier, en composition mathématique...
Onzième et dernier : Pitart-Vergniolles...

LA BARONNE, *elle change de ton* : Et pourquoi mon fils
est-il le dernier?

MUCHE, *il se tourne vers Topaze* : Pourquoi dernier?

TOPAZE : Parce qu'il a eu zéro.

MUCHE, *à la baronne* : Parce qu'il a eu zéro.

41

LA BARONNE : Et pourquoi a-t-il eu zéro?

MUCHE, *il se tourne vers Topaze sévèrement* : Pourquoi a-t-il eu zéro?

TOPAZE : Parce qu'il n'a rien compris au problème.

MUCHE, *à la baronne, en souriant* : Rien compris au problème.

LA BARONNE : Et pourquoi n'a-t-il rien compris au problème? Je vais vous le dire, monsieur Topaze, puisque vous me forcez à changer de ton. *(Avec éclat.)* Mon fils a été le dernier parce que la composition était truquée.

MUCHE : Était truquée!... ho! ho! ceci est d'une gravité exceptionnelle...

Topaze est muet de stupeur et d'émotion.

LA BARONNE : Le problème était une sorte de labyrinthe à propos de deux terrassiers qui creusent un bassin rectangulaire. Je n'en dis pas plus.

MUCHE, *à Topaze, sévèrement* : Mme la baronne n'en dit pas plus!

TOPAZE : Madame, après une accusation aussi infamante, il convient d'en dire plus.

MUCHE : Calmez-vous, cher ami.

LA BARONNE, *à Topaze* : Nierez-vous qu'il y ait dans votre classe un élève nommé Gigond?

MUCHE, *à Topaze* : Un élève nommé Gigond?

TOPAZE : Nullement. J'ai un élève nommé Gigond.

MUCHE, *à la baronne* : Un élève nommé Gigond.

LA BARONNE, *brusquement* : Quelle est la profession de son père?

TOPAZE : Je n'en sais rien!

LA BARONNE, *à Muche sur le ton de quelqu'un qui porte un coup décisif* : Le *père* du nommé Gigond *a une entreprise de terrassement.* Dans le *jardin* du nommé Gigond, il y a un *bassin rectangulaire.* Voilà. Je n'étonnerai personne en disant que le nommé Gigond a été premier.

MUCHE, *sévèrement* : Que le nommé Gigond a été premier. *(A la baronne en souriant.)* Mon Dieu, madame...

TOPAZE, *stupéfait* : Mais je ne vois nullement le rapport...

LA BARONNE, *avec autorité* : Le problème a été choisi pour favoriser le nommé Gigond. Mon fils l'a compris tout de suite. Et il n'y a rien qui décourage les enfants comme l'injustice et la fraude.

TOPAZE, *tremblant et hurlant* : Madame, c'est la première fois que j'entends mettre en doute ma probité... qui est entière, madame... qui est entière...

MUCHE, *à Topaze* : Calmez-vous, je vous prie. Certes, on peut regretter que le premier en mathématiques soit précisément un élève qui, par la profession de son père, et par la nature même du bassin qu'il voit chez lui, ait pu bénéficier d'une certaine familiarité avec les données du problème. *(Sévèrement.)* Ceci d'ailleurs ne se reproduira plus, car j'y veillerai... Mais d'autre part, madame *(la main sur le cœur)*, je puis vous affirmer l'entière bonne foi de mon collaborateur.

LA BARONNE : Je ne demande qu'à vous croire. Mais il est impossible d'admettre que mon fils soit dernier.

MUCHE, *à Topaze* : Impossible d'admettre que son fils soit dernier.

TOPAZE : Mais, madame, cet enfant est dernier, c'est un fait.

LA BARONNE : Un fait inexplicable.

MUCHE, *à Topaze* : C'est peut-être un fait, mais il est inexplicable.

TOPAZE : Mais non, madame, et je me charge de vous l'expliquer.

LA BARONNE : Ah! vous vous chargez de l'expliquer! Eh bien, je vous écoute, monsieur.

TOPAZE : Madame, cet enfant est en pleine croissance.

LA BARONNE : Très juste.

TOPAZE : Et physiquement, il oscille entre deux états nettement caractérisés.

MUCHE : Hum...

TOPAZE : Tantôt il bavarde, fait tinter des sous dans sa poche, ricane sans motif et jette des boules puantes. C'est ce que j'appellerai la période active. Le deuxième état est aussi net. Une sorte de dépression. A ces moments-là, il me regarde fixement, il paraît m'écouter avec une grande attention. En réalité, les yeux grands ouverts, il dort.

LA BARONNE, *elle sursaute* : Il dort?

MUCHE : Ceci devient étrange. Vous dites qu'il dort?

TOPAZE : Si je lui pose une question, il tombe de son banc.

LA BARONNE : Allons, monsieur, vous rêvez.

TOPAZE : Non, madame, je veux vous parler dans son intérêt, et je sais que ma franchise lui sera utile, car les yeux d'une mère ne voient pas tout.

MUCHE : Allons, mon cher Topaze, je crois que vous feriez beaucoup mieux de trouver l'erreur.

LA BARONNE, *à Muche* : Laissez parler M. Topaze. Je crois qu'il va nous dire quelque chose d'intéressant. Qu'est-ce que les yeux d'une mère ne peuvent pas voir?

TOPAZE, *convaincu et serviable* : Regardez bien votre fils, madame. Il a un facies terreux, les oreilles décollées, les lèvres pâles, le regard incertain.

LA BARONNE, *outrée* : Oh!

MUCHE, *en écho* : Oh!

TOPAZE, *rassurant* : Je ne dis pas que sa vie soit menacée

par une maladie aiguë : non. Je dis qu'il a probablement des végétations, ou peut-être le ver solitaire, ou peut-être une hérédité chargée, ou peut-être les trois à la fois. Ce qu'il lui faut, c'est une surveillance médicale.

Pendant les dernières phrases, la baronne a tiré de son sac un face-à-main, et elle examine Topaze.

LA BARONNE, *à Muche :* Mais qu'est-ce que c'est que ce galvaudeux mal embouché?

MUCHE, *sévère et hurlant :* Monsieur Topaze! *(Humble et désolé.)* Madame la baronne!

TOPAZE : Mais, madame...

LA BARONNE : Un pion galeux qui se permet de juger les Pitart-Vergniolles.

MUCHE : Monsieur Topaze, c'est incroyable... Vous jugez les Pitart-Vergniolles!

LA BARONNE : Un crève-la-faim qui cherche à raccrocher des leçons particulières...

TOPAZE : Mais je parlais en toute sincérité...

LA BARONNE : Et ça court après les palmes!

TOPAZE : Mais, madame, je les ai déjà moralement.

MUCHE, *sarcastique :* Moralement! Faites des excuses, monsieur, au lieu de dire de pareilles niaiseries! Chère madame...

LA BARONNE : Monsieur Muche, si ce diffamateur professionnel doit demeurer dans cette maison, je vous retire mes trois fils séance tenante. Quant à ce bulletin hypocrite, voilà ce que j'en fais.

Elle déchire le bulletin, jette les morceaux au nez de Topaze et sort. M. Muche, affolé, la suit, en bégayant : Madame la baronne... Madame la baronne *Topaze reste seul, ahuri. Soudain, Muche rentre, terrible.*

. . . . *Scène* XIV . . . .

MUCHE, TOPAZE

MUCHE : Monsieur, vous avez parlé à cette dame avec une audace stupéfiante. Tâchez de la rejoindre avant qu'elle n'ait quitté cette maison, et présentez-lui vos excuses !

TOPAZE : Si je l'ai offensée, je n'en avais pas l'intention.

MUCHE : Courez le lui dire et obtenez son pardon, sinon votre carrière ici sera gravement compromise.

TOPAZE : J'y cours, monsieur le directeur, j'y cours.

Muche, resté seul, se promène fébrilement de long en large. Tamise entre, souriant, par la gauche.

. . . . *Scène* XV . . . .

MUCHE, TAMISE

TAMISE : Bonjour, monsieur le directeur.

MUCHE : Bonjour.

TAMISE : Je désirerais, monsieur le directeur vous demander un conseil.

MUCHE : Venez me voir dans mon bureau à midi.

TAMISE : Monsieur le directeur, je m'excuse d'insister, mais j'aimerais vous parler tout de suite, car je crois que c'est le moment.

MUCHE, *qui regarde du côté de la fenêtre* : Je vous écoute.

TAMISE, *machiavélique* : Monsieur le directeur, vous n'êtes pas seulement le maître et le chef de cette maison, mais vous en êtes, à coup sûr, la plus haute autorité morale.

MUCHE, *distrait* : Si vous voulez.

TAMISE : C'est pourquoi je voudrais avoir votre opinion sur une affaire qui n'a rien de scolaire... *(Un temps. Muche le regarde d'un œil froid.)* J'ai un ami, qui est jeune, bien fait de sa personne et qui me paraît avoir un certain avenir.

MUCHE : Eh bien?

TAMISE : Cet ami est amoureux d'une jeune fille qui, de son côté, n'est pas indifférente aux charmes de mon ami, puisqu'elle lui a donné des encouragements très nets.

MUCHE : Eh bien?

TAMISE : Tout ceci, normalement, devrait se terminer par un mariage, mais il y a une certaine différence de fortune et de situation. Mon ami est lieutenant, le père de la jeune fille est général. Et voici la question que je veux vous poser. Si mon ami tente une démarche auprès du général, comment sera-t-il reçu?

MUCHE : Voilà qui mérite examen... Votre ami est-il un parfait honnête homme?

TAMISE : Pour ça, j'en réponds!

MUCHE : Le général est-il homme de cœur?

TAMISE : Oh! oui, il a une âme de général.

MUCHE : Que votre ami présente sa demande. Il sera reçu à bras ouverts, du moins, je le crois.

TAMISE, *un large sourire* : Eh bien, le général, c'est vous!

MUCHE, *stupéfait* : Moi, général?

TAMISE : Le lieutenant, c'est Topaze, et la jeune fille, c'est la toute gracieuse Mlle Muche.

MUCHE : Comment, Topaze veut épouser ma fille?

TAMISE : Oui.

MUCHE : Et vous dites qu'elle lui a donné des encouragements?

TAMISE : Nets, mais discrets et dignes d'une jeune fille de bonne famille...

MUCHE : Par exemple?

TAMISE : Quand elle a des devoirs à corriger, elle les lui confie, ils se retrouvent ici même pendant les récréations... Bref, c'est une idylle...

MUCHE : Je vais étudier la question...

TAMISE : Que dois-je dire à Topaze?

MUCHE : Rien. Je lui parlerai moi-même.

TAMISE : J'aurais aimé lui rapporter...

MUCHE, *ex abrupto* : J'ai moi aussi une question à vous poser. Croyez-vous que l'électricité soit un fluide gratuit?

TAMISE, *déconcerté* : Dans quel sens?

MUCHE : Hier, en quittant votre classe, vous avez négligé d'éteindre les quatre lampes qui l'éclairent. Elles brûlaient encore ce matin à huit heures, j'ai dû les éteindre de ma main. C'est pour cette raison que je vous retiendrai, à la fin du mois, quinze francs, plus dix francs d'amende.

TAMISE : Mais il me semble pourtant...

MUCHE : D'autre part, si vous exerciez sur vos élèves une surveillance plus attentive, je n'aurais pas eu le déplaisir de lire sur un pupitre de votre classe une inscription gravée au couteau qui dit en majuscules de cinq centimètres : *Muche égale salaud.*

TAMISE : Sur quel pupitre?

MUCHE : Allez-y voir, monsieur Tamise. Tâchez de découvrir le coupable, sinon je vous prierai de remplacer le pupitre à vos frais. Et puisque vous me demandez conseil, je vais vous donner celui-ci : il vaudrait mieux vous occuper de votre métier que de faire l'entremetteur bénévole, et de jouer les valets de comédie. Au revoir...

Tamise, médusé, se dirige à reculons vers la sortie. Il veut parler encore une fois. Muche le coupe net.

MUCHE : Je ne vous retiens pas.

Tamise sort, écrasé.

． ． ． ． ． ． ． ． ． ． ． ． ． ． ． *Scène* XVI ． ． ． ． ． ． ． ． ． ． ． ． ． ．

MUCHE, ERNESTINE

MUCHE, *il ouvre la porte de la classe d'Ernestine :* Ernestine... viens ici... *(Elle entre.)* Est-il vrai que tu fasses corriger tous tes devoirs par Topaze?

ERNESTINE : Oui, c'est vrai.

MUCHE : Pourquoi?

ERNESTINE : Parce que c'est un travail qui me dégoûte. Cette classe enfantine, j'en ai horreur. Pendant que d'autres se promènent avec des manteaux de fourrure, je reste au milieu de trente morveux... Tu crois que c'est une vie?

MUCHE : C'est la vie d'une institutrice.

ERNESTINE : Puisque je la supporte, tu n'as rien à dire. Et si je trouve un imbécile qui corrige mes devoirs, je ne vois pas en quoi je suis coupable...

MUCHE : Je ne te reproche pas de faire faire ton travail par un autre. Le principe même n'est pas condamnable. Mais pour quelle raison cet idiot fait-il ton travail?

ERNESTINE : Parce que je le fais marcher.

MUCHE : Ouais... Tu ne lui as rien donné en échange?

ERNESTINE : Rien.

MUCHE : Alors, pourquoi s'imagine-t-il que tu l'aimes? Il a l'intention de me demander ta main.

ERNESTINE : Il peut toujours la demander!

MUCHE : Comment aurait-il cette audace si les choses n'étaient pas allées plus loin que tu ne le dis? Allons, dis-moi la vérité. Qu'y a-t-il entre vous?

ERNESTINE : Rien. Il me fait les yeux doux.

MUCHE : C'est tout?

ERNESTINE : Il a même essayé de m'embrasser.

MUCHE : Où?

ERNESTINE : Ici.

MUCHE, *il se prend la tête à deux mains* : Malheureuse!...
Dans une classe!... Tous les enfants pouvaient le voir,
le raconter à leur famille! Tu veux donc chasser les
derniers élèves qui nous restent?

ERNESTINE : Oh! pour ça, la cuisinière s'en charge!

MUCHE, *violent* : Réponds à ce que je te dis, au lieu
de diffamer la maison de ton père! Il n'y a rien d'autre
entre vous?

ERNESTINE : Mais non, voyons! Pour qui me prends-
tu!

MUCHE : Bien.

*Il fait quelques pas, les mains derrière le dos, les
dents serrées, le front barré de trois plis verticaux
entre les sourcils. On voit enfin Topaze paraître
sur la porte. Il a perdu son lorgnon. Il marche
presque à tâtons, les yeux clignés, il se dirige vers
la chaire.*

. . . . *Scène* XVII . . . .

LES MÊMES, TOPAZE

TOPAZE : Monsieur le directeur, cette dame refuse de
m'entendre tant que je n'aurai pas retrouvé cette erreur!
(Avec violence.) Et pourtant, il n'y en a pas! Je ne
peux pourtant pas inventer une erreur!

MUCHE, *glacial* : Taisez-vous, taisez-vous, monsieur!
On peut duper les gens pendant longtemps, mais il
vient toujours un moment où le bandeau tombe, où
les yeux s'ouvrent, où l'imposteur est démasqué. Monsieur, vous êtes la honte de cette maison!

TOPAZE : Monsieur le directeur...

MUCHE : Vous donnez en cachette des leçons *gratuites*
pour déconsidérer l'enseignement...

Acte I

TOPAZE : Monsieur le directeur...

MUCHE : Vous m'annoncez des élèves qu'on refuse ensuite de nous confier. Vous refusez de retrouver une erreur, quand c'est un parent d'élève qui l'exige; vous truquez les compositions!

TOPAZE : Mais, monsieur le directeur!

MUCHE : Et pour comble, vous ajoutez à la sottise et à la mauvaise foi la lubricité la plus scandaleuse!

TOPAZE : Moi? Moi? Mademoiselle Muche...

MUCHE : Ici même, dans cette classe, et sous les yeux de nos enfants épouvantés, n'avez-vous pas essayé de déshonorer ma fille!

TOPAZE : Moi? Moi?

MUCHE : C'est par égard pour cette maison que je ne ferai pas appeler la police. Passez à la caisse immédiatement. A partir d'aujourd'hui, dix heures trente, vous n'appartenez plus à l'établissement. Venez, Ernestine!

Il entraîne sa fille et disparaît.

TOPAZE : Monsieur le directeur! Monsieur Muche! *(Ils sont partis. Il a un geste de désespoir.)* A la porte, moi... Mais c'est monstrueux!...

Il réfléchit un moment ; on le devine prêt à courir chez Muche, puis il se retient. Pensif, il se relève, boutonne sa redingote, puis il ouvre les tiroirs de sa chaire et fait ses paquets en silence. Il prend les liasses de devoirs que lui a confiés Ernestine, les regarde.

C'est la journée des malentendus!

Puis il glisse dans sa serviette tous ses accessoires, manchettes de lustrine, porte-plume, crayons, cahiers. Il prend sur l'armoire l'écureuil empaillé et se dispose à partir. Soudain, une idée le frappe. Il dépose l'écureuil sur l'estrade, et revient vers le tableau. Il efface l'inscription qui s'y trouve et écrit en grosses lettres : « LA COMPOSITION DE MORALE EST AJOURNÉE. »

Puis, tristement, il sort.

Rideau

Acte II

Un boudoir très moderne chez Mme Suzy Courtois.

.... *Scène* I ....

S U Z Y ,   C A S T E L - B É N A C

SUZY : Régis, est-ce que vous vous moquez de moi?

CASTEL-BÉNAC : Mais non, mon chéri, je te jure que je t'ai réservé cent mille francs.

SUZY : Eh bien, moi, je vous jure que vous m'en donnerez cent cinquante si vous tenez à revenir dans cette maison.

CASTEL-BÉNAC : Écoute, Minouche, cent cinquante, c'est un gros cadeau.

SUZY : Mais il ne s'agit pas d'un cadeau. Je réclame ma part. Dirait-on pas que j'attends vos cadeaux sans rien faire?

CASTEL-BÉNAC : Il est certain que tu me donnes des conseils précieux, mais tout de même, si le maire a voté pour moi les balayeuses automobiles, c'est parce que j'ai voté pour lui l'affaire des urinoirs souterrains qui vont lui rapporter une fortune...

SUZY : Régis, je vous prie de me respecter.

CASTEL-BÉNAC : A propos de quoi?

SUZY : Je n'aime pas du tout cette façon de mettre des urinoirs dans la conversation. Dites-moi clairement que vous voulez m'escroquer ma part et épargnez-moi vos grossièretés. *(Un temps.)* Il me faut cent cinquante billets avant le 15.

CASTEL-BÉNAC : Écoute, coco, en ce moment je n'ai aucune disponibilité.

SUZY : Allons donc! l'affaire des balayeuses va faire rentrer presque un million.

CASTEL-BÉNAC : Un million pour le brut, mais elle est très lourde. En plus des pots-de-vin habituels il faut verser quatre-vingts billets au secrétaire de la fédération des balayeurs.

SUZY : Pourquoi? Les balayeurs devraient être bien contents d'avoir des machines.

CASTEL-BÉNAC : Ceux qui seront sur les machines seront bien contents; mais ceux qu'on va foutre à la porte?

SUZY : Pourquoi?

CASTEL-BÉNAC : L'achat des balayeuses entraîne la suppression de deux cents balayeurs, c'est même en insistant sur cette économie que j'ai enlevé le vote du conseil municipal. La fédération fera du bruit, si je n'achète pas le secrétaire. Et puis, il y a la presse, il y a... ma femme.

SUZY : Comment, votre femme?

CASTEL-BÉNAC : Il faut bien que je lui offre un vison ou une voiture.

SUZY : Mon cher, je ne savais pas que vous aviez assez peu de délicatesse pour raconter vos escroqueries à votre femme.

CASTEL-BÉNAC : Mais je ne lui raconte rien du tout. Chaque mois elle va lire les délibérations du conseil, et quand elle voit que j'ai fait voter quelque chose, elle me réclame sa part; c'est automatique; l'année dernière, quand j'ai fait donner à Bernard Shaw le titre de citoyen, elle n'a jamais voulu croire que c'était à l'œil, elle a exigé vingt billets.

SUZY : Et tu as été assez bête pour les donner?

CASTEL-BÉNAC : J'ai été assez prudent pour les donner; toi qui as toujours peur qu'il nous arrive des histoires, tu ne devrais pas me faire ce reproche.

SUZY : Oui, évidemment. Mais quand on donne un vison à sa femme, on ne refuse pas cent cinquante mille francs à sa maîtresse.

CASTEL-BÉNAC : Coco, regarde le bilan... tu verras. *(Il lui tend une feuille de papier.)*

SUZY, *elle refuse de la prendre* : Ça ne m'intéresse pas.

CASTEL-BÉNAC : Regarde et tu verras que si je te donne cent cinquante, j'y suis de ma poche.

SUZY : Eh bien, vous êtes là pour ça.

CASTEL-BÉNAC : Oh! comme c'est méchant ce que tu viens de dire là.

SUZY : C'est oui ou c'est non?

CASTEL-BÉNAC : C'est oui.

> Entre un maître d'hôtel qui annonce M. Roger de Berville.

SUZY : Une minute. *(Le maître d'hôtel sort.)* Pourquoi vient-il ici?

CASTEL-BÉNAC : C'est moi qui l'ai convoqué.

SUZY : Tu as une nouvelle affaire en vue?

CASTEL-BÉNAC : Mais non, c'est pour les balayeuses.

SUZY : Comment, l'adjudication sera close demain et ce n'est pas réglé?

CASTEL-BÉNAC : En principe tout est réglé, mais il n'a pas encore signé.

SUZY : Il n'a pas voulu?

CASTEL-BÉNAC : Il n'a pas pu. Depuis quinze jours, il avait un bras en écharpe.

SUZY : Oh! oh! qu'est-ce que c'est que cette histoire-là?

CASTEL-BÉNAC : Oh! Un accident banal... Son démarreur était coincé, il a voulu remettre en marche à la main, et il a pris un retour de manivelle, voilà tout.

SUZY, *sarcastique* : Oui, voilà tout! Eh bien, mon cher, ça y est, vous êtes roulé.

CASTEL-BÉNAC : Roulé? Pourquoi?

SUZY : Parce que le petit jeune homme vous a joué la comédie, afin de signer au dernier moment.

CASTEL-BÉNAC : Mais puisqu'il vient signer à temps...

SUZY : A quelles conditions?

CASTEL-BÉNAC : Cinq pour cent, comme d'habitude.

SUZY : Comptez là-dessus.

CASTEL-BÉNAC : Comment? Tu crois qu'il aurait machiné sa petite affaire, et...

SUZY : Il faut que tout soit réglé ce soir, sinon l'affaire est ratée. Moi, si j'étais à sa place, tu n'y couperais pas de trente-cinq pour cent... Avec lui, ça sera du trente.

CASTEL-BÉNAC, *hagard* : Si ce petit voyou m'a fait ce coup-là...

SUZY : Doucement, mon cher, doucement. Ce n'est plus le moment de crier. Tâchons de voir ce qu'on peut encore sauver de l'affaire. *(Elle sonne le maître d'hôtel.)* Faites entrer M. de Berville. *(Le maître d'hôtel sort.)* Essayez de l'amadouer en lui promettant la nouvelle agence, puisque aussi bien nous avons l'intention de la lui donner! Et surtout, tâchez d'éviter ces explosions d'injures et de mots orduriers qui ne peuvent que gâter une affaire. Soyez calme et distingué, si vous le pouvez.

Entre Roger de Berville.

. . . . *Scène* II . . . .

LES MÊMES, plus ROGER DE BERVILLE

ROGER : Bonjour, chère madame, comment allez-vous?

SUZY : Fort bien, et vous-même?

ROGER : Le mieux du monde.

CASTEL-BÉNAC : Alors, ce bobo, c'est guéri?

ROGER : Oui, presque... le décollement de l'olécrâne est en bonne voie, et les ligaments de la face interne paraissent suffisamment resserrés.

CASTEL-BÉNAC, *il tâte son bras* : Eh bien, tant mieux. Tu vois, il avait un décollement de l'olécrâne, et un relâchement des ligaments de...

SUZY : Oui, il vient de nous le dire. *(A Roger.)* Vous pouvez signer?

ROGER : Je l'espère.

CASTEL-BÉNAC : Vous avez apporté les pièces nécessaires pour le dépôt de la soumission?

ROGER : Oui, cher ami. Extrait de naissance et casier judiciaire.

CASTEL-BÉNAC : Eh bien, si nous passions tout de suite dans les bureaux pour cette petite formalité?

ROGER : Ah? vous avez de nouveaux bureaux?

SUZY : Oui. Régis vient d'acheter l'immeuble voisin, et tout le premier étage est transformé en bureaux. J'ai fait percer le mur ici.

ROGER : Oui, c'est la porte dérobée qui conduit chez la princesse! Ces bureaux, je crois, sont destinés à une agence? Il me semble que vous m'aviez parlé de ça il y a quelque temps?

CASTEL-BÉNAC : Mon cher, il s'agit en effet d'une agence qui centralisera toutes les affaires de fournitures à la ville. Naturellement, nous aurons un directeur général : situation considérable... Nous ne l'avons pas encore choisi, d'ailleurs... *(Il cligne un œil vers Suzy.)* Passez, cher ami...

ROGER : Après vous.

CASTEL-BÉNAC : Mon cher ami... Je suis presque chez moi...

ROGER : Non, non, montrez-moi le chemin...

CASTEL-BÉNAC : Mon cher ami, je n'en ferai rien !

ROGER : Soit !

> *Il passe. Castel-Bénac le suit et referme la porte. Suzy s'installe sur le divan et commence à préparer des cocktails. Entre le maître d'hôtel.*

LE MAITRE D'HOTEL : Madame, M. le professeur est arrivé.

SUZY : Bien, conduisez-le chez Gaston, et dites-lui qu'il vienne me voir après sa leçon.

LE MAITRE D'HOTEL : Il demande si Madame veut le recevoir tout de suite.

SUZY : Bien, qu'il entre.

> *Le maître d'hôtel sort. Puis, Topaze entre. Il a mis son costume de la distribution des prix.*

· · · · · · · · · · · · · · · · *Scène* III · · · · · · · · · · · · · · · · · ·

SUZY, TOPAZE

SUZY : Bonjour, monsieur Topaze.

TOPAZE : Bonjour, madame.

SUZY : Vous avez quelque chose à me dire ? Je vous écoute. Asseyez-vous donc.

Acte II

Topaze s'assoit sur un quart de fesse, au bord d'un fauteuil.

TOPAZE : Ce matin même, madame, vous m'avez demandé s'il me serait possible de donner à M. Gaston deux heures de leçon chaque jour... Eh bien, madame, je viens vous dire que si vous avez la bonté de maintenir cette proposition, je suis tout prêt à l'accepter.

SUZY : Impossible maintenant. Le père de Gaston sera de passage ici demain, il emmène l'enfant avec lui.

TOPAZE, *déçu* : Ah! fort bien, madame, fort bien.

SUZY : Vous avez l'air déçu. Et pourtant, ce matin, quand je vous demandais ces deux heures, vous m'avez répondu que vous manquiez de temps.

TOPAZE : C'était exact, madame. Mais à partir d'aujourd'hui dix heures, j'ai beaucoup plus de loisirs.

SUZY : M. Muche a réduit votre emploi du temps?

TOPAZE, *avec effort* : Oui, il l'a réduit, en fait il l'a même réduit à rien.

SUZY : Et il vous paie pour ne rien faire?

TOPAZE : C'est-à-dire qu'il a réduit mon traitement dans les mêmes proportions.

SUZY : Dites tout de suite qu'il vous a remercié?

TOPAZE : Même pas. En fait, il m'a mis à la porte.

SUZY : Oh... C'est bien fâcheux... J'espère que ma visite n'y est pour rien?

TOPAZE : Oh! non, madame... Il y a eu simplement une suite invraisemblable de malentendus...

SUZY : Mais alors, qu'allez-vous faire?

TOPAZE : Si M. Muche ne me rappelle pas, je chercherai des leçons.

SUZY : Si parmi mes relations je puis vous trouver des élèves, je ne manquerai pas de vous les adresser.

TOPAZE : Je vous en serai très reconnaissant, madame. Est-il utile que j'aille donner une dernière leçon à M. Gaston?

SUZY : Mais oui, monsieur Topaze. L'enfant vous attend.

TOPAZE : Je lui ferai une petite dictée d'adieu.

SUZY : Oui, très bien... Et n'oubliez pas, avant de partir, de me remettre la note de vos honoraires...

TOPAZE : Bien, madame... A tout à l'heure, madame...

Il salue et sort.

················· *Scène* IV ·················

SUZY, CASTEL-BÉNAC, ROGER

La porte du bureau s'ouvre, Castel-Bénac en sort suivi de Roger.

CASTEL-BÉNAC, *calme et froid* : Eh bien, soit, cher ami, n'en parlons plus.

ROGER, *mondain* : Étant donné la différence de nos points de vue, je crois qu'il serait inutile de prolonger la discussion.

SUZY, *comme effrayée* : Vous n'allez pas parler d'affaires, au moins?

ROGER : Non, chère madame, rassurez-vous, nous avons fini.

SUZY, *elle tend un coffret* : Cigarette?

ROGER : Bien volontiers... Êtes-vous allée au concert ces temps-ci?

SUZY : Oui... J'ai entendu les chœurs de la chapelle Sixtine. Ils sont merveilleux.

ROGER : Ah! la pureté de ces voix! On se sent transporté au-dessus des banalités quotidiennes... J'en ai pleuré, parole d'honneur. *(A Castel.)* J'espère, cher ami, que vous n'avez pas manqué ce régal?

CASTEL-BÉNAC, *sarcastique* : Malheureusement, je n'ai pas pu accompagner Madame. Je m'étais démanché l'olécrâne et distendu le ligament.

ROGER, *avec un étonnement parfaitement naturel* : Comment? Vous aussi?

CASTEL-BÉNAC, *il éclate, il suffoque de colère contenue* : Ah! sacré bon Dieu! *(Les yeux au plafond.)* Renégat, vendu, margoulin! Écraser la tête sous mon pied, comme un putois. *(Il se frappe la poitrine.)* A un homme comme moi!

SUZY, *sévèrement* : Qu'avez-vous, cher ami?

CASTEL-BÉNAC, *il montre Roger du doigt* : Cent mille francs!

SUZY : Comment, cent mille francs?

CASTEL-BÉNAC : Pour les balayeuses, il exige cent mille francs!

ROGER : Et Monsieur m'en offre cinquante.

SUZY : Cinquante, ce n'est pas beaucoup, mais cent, c'est énorme...

ROGER, *souriant* : Oh!... Énorme?

CASTEL-BÉNAC : Si ce n'est pas une exigence de scélérat, c'est une prétention de fou!

ROGER, *très digne* : Dans ce cas, cher ami, le fou se retire... Chère madame, voulez-vous me permettre...

SUZY : Ah! mais non!... Vous n'allez pas manquer une affaire pareille parce que vous êtes tous les deux de mauvaise humeur... Venez vous asseoir ici, Régis va nous préparer des cocktails. Tenez, Régis, secouez donc ces Alexandra. *(A Roger.)* Voulez-vous me permettre une question?

ROGER : Mais certainement, chère madame...

SUZY : Pourquoi exigez-vous cette somme, alors que jusqu'ici vos prétentions étaient plus modestes? Dans l'affaire du chauffage central des écoles, vous aviez cinq pour cent.

ROGER : Oui, j'avais cinq pour cent, mais si vous me permettez le mot, j'étais une poire.

CASTEL-BÉNAC : Une poire qui a touché quarante-cinq mille francs.

ROGER : Et vous huit cent cinquante. Comparez.

CASTEL-BÉNAC, *il éclate :* Mais, nom de Dieu, qui est-ce qui est conseiller municipal? C'est vous, ou c'est moi?

ROGER : Cher ami, vous sortez de la question.

CASTEL-BÉNAC : Mais pas du tout! Est-ce que le conseil aurait voté cette installation, si je ne l'avais pas proposée? Jamais de la vie, puisqu'on venait d'acheter des poêles! Ils étaient tout neufs! Il a fallu les casser à coups de marteau pour les mettre à la ferraille! Et même si on avait eu vraiment besoin de ces radiateurs à vapeur, est-ce qu'on serait allé vous chercher?

ROGER : Pourquoi pas?

CASTEL-BÉNAC : Allons donc! Vous ne saviez pas même ce que c'était. Dans votre rapport vous avez écrit cinq fois « gladiateurs »! Et il en a fourni deux mille!

ROGER, *modeste :* Je n'en ai que plus de mérite.

SUZY : Oui, c'est vrai. Mais en somme, dans toutes ces affaires, vous n'avez qu'à prêter votre nom!

ROGER : Pas plus!

CASTEL-BÉNAC : Mais oui, pas plus!

SUZY : Régis, ne soyez pas injuste, c'est tout de même quelque chose.

ROGER : Surtout si l'on pense au nom que je porte : Roger de Berville.

SUZY : La particule a sa valeur.

ROGER : On ne peut nier qu'elle ne soit supérieure au trait d'union.

SUZY : Certainement.

ROGER : Et d'autre part, je suis depuis hier trésorier du cercle de la rue Gay-Lussac, ce qui prouve que j'ai une réputation bien établie de probité. Eh bien, la probité, ça se paie cher, parce que c'est rare. Surtout dans une affaire comme celle-là.

CASTEL-BÉNAC : Moi, j'ai connu des gens d'une probité formidable qui marchaient à quatre pour cent.

ROGER : Oui, des gens sans surface... Moi, cher ami, je suis bien forcé d'exiger une part qui corresponde à mon standing.

CASTEL-BÉNAC : Quand je vous ai connu, en fait de standing, vous n'aviez qu'un gant, un chapeau de paille et des dettes! C'est moi qui vous ai mis à flot.

ROGER : Du moins, vous le dites.

CASTEL-BÉNAC : Comment, je le dis? Votre studio, c'est l'affaire des pavés de bois; votre voiture, c'est l'éclairage de l'abattoir, et cette perle que tu vois dans sa cravate, c'est le nouveau frigorifique de la Morgue!

ROGER : Mais vous sortez encore de la question...

CASTEL-BÉNAC, *éclatant* : Mais non, monsieur, je ne sors pas de la question! J'y suis en plein, dans la question! La vérité, c'est que vous êtes un ingrat! Ah! c'était donc ça, le bras en écharpe! Une manœuvre, tout simplement!

ROGER : Monsieur!

CASTEL-BÉNAC : Une manœuvre scélérate, pour préparer un chantage odieux, c'est puant, monsieur, c'est puant!

SUZY : Voyons, Régis!

ROGER, *stupéfait et blessé* : Quoi! Vous oseriez vraiment supposer...

CASTEL-BÉNAC : Est-ce que vous me prenez pour un nouveau-né? Vous pensez bien que j'ai fait ça avant vous, hein?

ROGER, *souriant* : Dans ce cas, mon cher, vous connaissez donc parfaitement la force de ma position. Je vous tiens à la gorge, c'est un fait. Et je vous le demande en toute conscience : que penseriez-vous de moi si vous vous en tiriez à moins de cent mille?

CASTEL-BÉNAC : Je penserais que vous êtes un ami. *(Il lui tend la main.)* Allons, Roger, vous êtes un ami!

ROGER, *il lui serre la main* : Eh bien, oui, je suis un ami. Mais je tiens à conserver votre estime. C'est cent mille ou rien.

SUZY : Allons, Roger, Régis ira jusqu'à soixante, mais faites un effort.

ROGER : Chère madame, récapitulons : j'ai inventé une histoire de retour de manivelle qui risque de dévaloriser ma voiture quand je voudrai la revendre; j'ai cherché des mots spéciaux dans un ouvrage de médecine; j'ai porté le bras en écharpe pendant quinze jours. Grâce à quoi j'ai endormi Monsieur, je l'ai tenu le bec dans l'eau jusqu'à maintenant! Est-ce que ça ne vaut pas quelque chose? Allons, si vous êtes beau joueur, vous allez me donner cent mille et nous resterons bons amis.

CASTEL-BÉNAC : Jeune homme, s'il vous manque quelque chose, ce n'est sûrement pas le culot.

ROGER : Mais non, mon cher, mais non! Voulez-vous écouter mon raisonnement? La petite comédie que je vous ai jouée, ce n'est déjà pas très chic de ma part; mais si je n'en retire aucun bénéfice, alors ça devient positivement malhonnête!

SUZY : Vous avez bien des scrupules!

ROGER : Et puis, je me connais : il y a une question d'amour-propre. Si j'avais réussi ce coup-là pour rien, je serais complètement démoralisé, je n'aurais plus aucune confiance en moi!

SUZY : Alors, tout compte fait, que demandez-vous?

ROGER : Soixante-dix pour les balayeuses, et trente pour l'olécrâne.

CASTEL-BÉNAC, *avec un grand calme* : Eh bien, jeune homme, apprenez ceci : je n'aime pas beaucoup que l'on se foute de moi. Vous n'aurez ni cent mille, ni vingt-cinq mille, ni rien du tout. *(Il éclate brusquement.)* Mais c'est tout de même saugrenu!

SUZY : Attendez, Régis, on pourrait peut-être...

CASTEL-BÉNAC : Non, non, puisque je me trouve en face d'un fou, j'aime mieux renoncer à l'affaire. Je ferai annuler le crédit. *(Noble.)* Et la ville se passera de balayeuses, parce que ce jeune homme est un mauvais citoyen!

ROGER : Monsieur?

SUZY : Régis, vous êtes vraiment dur pour Roger!

CASTEL-BÉNAC : Un mauvais citoyen et un mauvais Français.

ROGER : Halte-là, monsieur. Vous portez atteinte à mon honneur!

CASTEL-BÉNAC, *brusquement pathétique* : Ce n'est pas à votre honneur que je m'adresse, c'est à votre cœur. Voyons, monsieur Roger de Berville, ne ferez-vous pas un petit sacrifice pour adoucir le sort des balayeurs? Songez aux malheureux qui, chaque jour, à l'aube, saisissent à pleines mains un manche rugueux, et poussent au ruisseau les débris de la veille... Au XXe siècle, supporterons-nous qu'un homme, un électeur, use ses forces à des besognes dégradantes quand le machinisme nous permet de le remplacer par une voiture propre, efficace, et d'aspect coquet? Supporterons-nous...

ROGER : Supporterons-nous qu'il nous répète tout son discours du conseil municipal?

Il rit.

CASTEL-BÉNAC : Monsieur, si vous riez de ces choses-là, nous n'avons plus rien à nous dire. Adieu, monsieur.

SUZY : Régis, ne vous froissez pas pour si peu de chose...

CASTEL-BÉNAC : Madame, je suis un élu du peuple; je n'ai pas le droit de me laisser insulter...

SUZY : Mais qui vous insulte?

CASTEL-BÉNAC : Si ce margoulin ne respecte pas ma personne, qu'il respecte au moins mes fonctions.

ROGER : Madame, je ne puis soutenir ce ton. Souffrez que je vous présente mes hommages.

SUZY : Vous n'avez même pas goûté à ce cocktail!

CASTEL-BÉNAC : Non, non, c'est fini. Pas de balayeuses, pas d'agence, rien du tout, absolument rien. Il peut crever la bouche ouverte au coin d'une route! Il n'aura plus un sou de moi! Et qu'il foute le camp!

ROGER : Monsieur, dans votre famille, on fout le camp; dans la mienne, on prend congé.

Il s'incline devant Suzy une dernière fois et sort très digne.

················· Scène V ·················

LES MÊMES, moins ROGER

SUZY : Et voilà comment on rate une affaire magnifique! Est-ce que vous n'auriez pas dû vous méfier plus tôt?

CASTEL-BÉNAC : Non, que veux-tu. Moi, je suis trop honnête, les canailleries des autres, ça me surprend toujours. *(Il allume un cigare, et réfléchit tristement.)* Ah! la vie est de plus en plus dure. Mon pauvre père m'avait bien dit qu'il faut toujours se méfier d'un ami... Mais je croyais pouvoir compter sur un complice. Il paraît que c'est changé. Quelle époque!

SUZY : J'espère que vous n'allez pas pleurer?

CASTEL-BÉNAC : Eh non, c'est raté, c'est raté. Voilà tout!

SUZY : Alors, vous admettez que cette affaire tombe à l'eau?

CASTEL-BÉNAC : Que veux-tu que je fasse?

SUZY : Mais vous connaissez pourtant d'autres prête-noms! Tâchez donc de joindre Ménétrier!

CASTEL-BÉNAC : Il est à Madagascar!

SUZY : Depuis quand?

CASTEL-BÉNAC : Il s'est embarqué samedi dernier. On lui a donné une très belle chaîne de montagnes, du côté de Tananarive... Il est allé là-bas pour la vendre aux gens qui l'habitent.

SUZY : Mais alors, qui?

CASTEL-BÉNAC : Tu vois bien, je réfléchis...

SUZY : Pourquoi ne prendriez-vous pas Malaval?

CASTEL-BÉNAC : Il est brûlé!

SUZY : Et votre ami Fernet?

CASTEL-BÉNAC : Trop cher. Depuis que je l'ai fait décorer, il demande du cinquante pour cent.

SUZY : Et Faubert?

CASTEL-BÉNAC : Ah! Faubert! Ce serait le rêve... Un bon garçon, celui-là... Un collaborateur adroit, dévoué. Et quelle probité!

SUZY, *elle a pris son livre d'adresses* : Wagram 86-02.

CASTEL-BÉNAC : Plus maintenant, il est en prison...

SUZY : Depuis quand?

CASTEL-BÉNAC : Depuis les Porcheries du Maroc.

SUZY : Je croyais que c'était une affaire honnête?

CASTEL-BÉNAC : Justement. Dans une affaire honnête, on ne se méfie pas. Si ça flanche, on est compromis tout seul... et on ne s'en tire pas.

SUZY : Et Picard?

CASTEL-BÉNAC, *choqué* : Picard? Oh non, chère amie, non.

SUZY : C'est un garçon très bien, Picard... Il est sérieux, il a de l'entregent? Pourquoi n'essaierait-on pas Picard?

CASTEL-BÉNAC : Parce que c'est l'amant de ma femme, et que la plus élémentaire délicatesse...

SUZY : Bon, bon. Je ne savais pas...

CASTEL-BÉNAC : Naturellement. Toute la ville en parle, vous êtes la seule à l'ignorer. Ce qui prouve d'ailleurs de quelle façon vous vous intéressez à moi.

SUZY : Mais, mon cher, je n'ignorais pas que vous fussiez cocu, mais j'ignorais que c'était Picard, voilà tout. Il faut pourtant en sortir, voyons! Il ne doit pas être difficile de trouver quelqu'un!

CASTEL-BÉNAC : Chère amie, on voit bien que vous n'avez pas étudié le problème. Il n'y a rien d'aussi délicat que le choix d'un prête-nom. Si on prend un homme d'une honnêteté morbide, il refuse la plupart des affaires qu'on lui propose. Et si on prend un homme d'esprit moderne, il risque de pousser le modernisme jusqu'à nous voler nous-mêmes. Les marchés sont faits en son nom. Il peut garder le bénéfice, et tu penses bien que nous n'avons aucun recours devant les tribunaux!...

SUZY : Évidemment. En somme, il faut quelqu'un qui fasse honnêtement des affaires malhonnêtes.

CASTEL-BÉNAC : Non... non... Employons des mots innocents, ça nous fera la bouche fraîche. Il nous faut quelqu'un qui fasse à la manière d'avant guerre des affaires d'après guerre. Ou alors, un parent, un homme sur qui on aurait un moyen d'action, comme l'honneur du nom ou le sentiment de la famille. Par exemple, l'amant de ta sœur, si elle n'en avait qu'un. Ou ton frère, s'il n'avait pas ce petit casier judiciaire, ou ton père, si on pouvait savoir qui c'est...

SUZY, *brusquement* : Si je trouvais quelqu'un, combien lui donnerais-tu?

CASTEL-BÉNAC : Tu as une idée?

SUZY : Peut-être.

CASTEL-BÉNAC : J'irais bien jusqu'à cinquante mille pour les balayeuses.

SUZY : Et pour l'agence?

CASTEL-BÉNAC : Dix pour cent.

SUZY : S'il acceptait moins, me donneriez-vous la différence?

CASTEL-BÉNAC : Oui, dis ton idée.

SUZY : Topaze.

CASTEL-BÉNAC : Qui ça, Topaze?

SUZY : Le professeur de Gaston.

CASTEL-BÉNAC : Ce malheureux barbu en chapeau melon?

SUZY : Pourquoi pas?

CASTEL-BÉNAC : Ma chère amie, il ne faudrait pas, pour rattraper vos cent cinquante mille francs de balayeuses, nous lancer dans une dangereuse improvisation.

SUZY : D'abord, ce n'est pas une improvisation. J'y ai pensé déjà quelquefois, et puis, avec lui, aucun danger.

CASTEL-BÉNAC : Pourquoi?

SUZY : Parce que nous avons sur lui un moyen d'action.

CASTEL-BÉNAC : Lequel?

SUZY : Moi.

CASTEL-BÉNAC : Tiens, tiens, amoureux?

SUZY : Dès qu'il me voit, il rougit, il bafouille, il est ridicule et touchant. Je suis sûre qu'avec deux mots, j'en ferai ce que je voudrai.

CASTEL-BÉNAC : On croit ça, et puis quelquefois...

SUZY : Mais non, mon cher. Une femme sent très bien ces choses-là. Cet homme-là m'aime d'un amour sans espoir, mais définitif. Une sorte d'amour que vous ne pouvez certainement pas imaginer. Je vous affirme que nous n'aurons même pas besoin de lui expliquer de quoi il s'agit ; si c'est moi qui le lui demande, il signera n'importe quoi les yeux fermés.

CASTEL-BÉNAC : Oui, peut-être, mais il finira par les ouvrir. Et alors, s'il pousse des cris affreux ? S'il nous accuse de l'avoir déshonoré ? S'il se suicide en laissant une belle lettre pour le commissaire de police ?

SUZY : Mais non, mais non ! Je me charge de le calmer avec un peu de comédie.

CASTEL-BÉNAC : Oui, un peu de comédie, ou alors beaucoup d'argent !

SUZY : Comment ça ?

CASTEL-BÉNAC : Quand il connaîtra toutes mes affaires, s'il me faisait du chantage ?

SUZY : Lui ? Allons donc ?... Je suis sûre que c'est un homme absolument désintéressé, et parfaitement incapable...

CASTEL-BÉNAC : Oui, parce qu'il est mal habillé, vous lui prêtez de grands sentiments. Ma chère amie, j'ai connu des maîtres chanteurs qui avaient l'air du Jeune Homme Pauvre...

SUZY : Mais s'il marche dans vos combinaisons, il ne pourra plus que se taire !

CASTEL-BÉNAC : Évidemment, on peut l'embarquer tout de suite dans cinq ou six affaires, et il devient inoffensif.

SUZY : Et puis, écoutez donc, Régis : nous allons lui

donner le petit logement que j'ai fait préparer pour mon chauffeur : juste au-dessus des bureaux. Et nous aurons sous la main, à toute heure du jour, un collaborateur absolument dévoué qui nous devra tout.

CASTEL-BÉNAC : Ma foi, on peut toujours le voir.

Suzy sonne. Le maître d'hôtel paraît.

SUZY : Dites au professeur que je désire lui parler tout de suite.

La maître d'hôtel s'incline et sort.

CASTEL-BÉNAC : « Topaze, agent d'affaires. » Ça ne ferait pas mal sur une plaque de cuivre... Mais, dites donc, est-ce qu'il va accepter de quitter sa situation ?

SUZY : Son directeur, qui est un abominable marchand de soupe, l'a mis à la porte ce matin, à la suite d'une histoire que j'ignore, et à laquelle lui-même n'a certainement rien compris.

CASTEL-BÉNAC : C'est à voir, c'est à voir...

Entre Topaze.

. . . . *Scène* VI . . . .

LES MÊMES, TOPAZE

Topaze paraît sur la porte. Suzy se lève et va vers lui.

SUZY, *à Castel-Bénac :* Mon cher ami, permettez-moi de vous présenter M. Topaze, dont nous venons de parler. *(A Topaze.)* M. Castel-Bénac, qui est un grand brasseur d'affaires.

TOPAZE, *il s'incline profondément :* Monsieur, je suis extrêmement honoré.

CASTEL-BÉNAC : Monsieur, l'honneur est pour moi.

TOPAZE : Monsieur, vous êtes trop bon.

CASTEL-BÉNAC : Nullement, monsieur, nullement.

SUZY : Asseyez-vous, monsieur Topaze... Vous allez boire un petit cocktail avec nous.

TOPAZE : C'est un bien grand honneur pour moi, madame.

Il s'assied au bord de la chaise. Pendant les répliques suivantes, Suzy servira les cocktails.

SUZY : Je viens de parler de votre cas à M. Castel-Bénac.

TOPAZE : Madame, vous êtes mille fois trop bonne.

SUZY : Mais non. Et j'ai le plaisir de vous dire qu'il est tout prêt à s'occuper de vous.

TOPAZE : Monsieur, je vous en suis bien reconnaissant.

CASTEL-BÉNAC : Mais non, monsieur... L'intérêt que je vous porte est tout naturel. Madame vient de me dire que vous êtes une valeur.

TOPAZE, *modeste* : Oh! monsieur...

SUZY : Mais si, mais si...

CASTEL-BÉNAC : Une valeur qui est en ce moment, disons-le, inemployée.

TOPAZE : Oui, en somme, c'est le mot.

SUZY : Eh bien, M. Castel-Bénac veut exploiter lui-même cette valeur.

TOPAZE : Exploiter lui-même cette valeur. *(Elle lui tend un verre.)* Merci, madame.

SUZY : Est-ce que vous tenez beaucoup à rester dans l'enseignement?

TOPAZE : A rester dans l'enseignement? Mon Dieu, oui, madame.

SUZY : Pourquoi?

TOPAZE : Parce que c'est une profession très considérée, peu fatigante et assez lucrative.

CASTEL-BÉNAC, *coup d'œil vers Suzy* : Assez lucrative. Fort bien.

TOPAZE, *il boit une gorgée, tousse, devient très rouge* : Oh! c'est fort, ce vin!

CASTEL-BÉNAC : Oui, c'est assez fort.

SUZY : Qu'espérez-vous gagner, en donnant des leçons?

TOPAZE : Je ne le sais pas encore exactement, mais je connais des professeurs libres qui se font jusqu'à douze cents francs.

SUZY : Par mois?

TOPAZE : Oui, madame. Il est vrai qu'un professeur a des frais de tenue, n'est-ce pas, puisqu'il peut être appelé à converser avec des personnes de la meilleure société. Mais quand on gagne douze cents francs...

CASTEL-BÉNAC : C'est évidemment très beau.

TOPAZE : Cette question de gain est un peu vulgaire, mais elle a son importance. L'argent ne fait pas le bonheur. Mais on est tout de même bien content d'en avoir.

   Il rit.

CASTEL-BÉNAC *rit* : Nous en sommes tous là.

SUZY : La situation que Monsieur va peut-être vous offrir vous permettrait de gagner davantage.

CASTEL-BÉNAC : Pas beaucoup plus, mais un peu plus. Oui, un peu plus. Je pourrais vous donner un fixe et une petite prime pour chaque affaire. Vous toucheriez en moyenne deux mille cinq cents francs.

TOPAZE : Par mois?

SUZY : Oui.

TOPAZE : Pour moi?

CASTEL-BÉNAC : Oui.

TOPAZE, *exorbité, il se lève* : Pour des leçons de quoi?

SUZY : Il ne s'agit pas de leçons.

CASTEL-BÉNAC : Il s'agit de remplir auprès de moi certaines fonctions assez... comment dirai-je? non pas difficiles, mais délicates...

TOPAZE : Ha! ha!... Mais ces délicates fonctions, serai-je capable de les remplir?

SUZY : Pourquoi pas?

CASTEL-BÉNAC : Nous allons le voir. Voulez-vous me permettre de vous regarder un moment?

TOPAZE : Mais, c'est tout naturel, monsieur.

Castel-Bénac examine Topaze qui rougit, toussote, baisse les yeux. Castel-Bénac passe derrière Topaze et cligne un œil vers Suzy.

CASTEL-BÉNAC : Bien. Puis-je vous poser quelques questions?

TOPAZE : Bien volontiers.

CASTEL-BÉNAC : Avez-vous de la famille?

TOPAZE : Hélas! non. Je suis seul au monde. Oui, tout seul.

CASTEL-BÉNAC : Bravo, c'est parfait. Je veux dire que c'est bien triste, mais c'est le destin. Et les femmes?

TOPAZE : Comment, les femmes?

CASTEL-BÉNAC : Vous avez bien quelque maîtresse, hein?

TOPAZE, *il regarde Suzy, comme choqué :* Non, monsieur, non...

SUZY : Cher ami, vous posez devant moi des questions...

CASTEL-BÉNAC : Excusez-moi, chère amie... Le mot a dépassé ma pensée... Quelles sont vos relations habituelles?

TOPAZE : Mes collègues... Je veux dire mes anciens collègues de la pension Muche. Et je vois aussi quelquefois un camarade de régiment qui est maintenant garçon de café.

CASTEL-BÉNAC : Je vous demanderai de fréquenter ces braves gens le moins possible et, en tout cas, de ne pas les recevoir dans nos bureaux. Ni même chez vous.

TOPAZE : Chez moi?

CASTEL-BÉNAC : Car il faudra que vous habitiez ici.

TOPAZE : Ici?

SUZY : Les bureaux sont dans l'immeuble voisin, et votre petit logement est au-dessus, tout près de chez moi. Y voyez-vous un inconvénient?

TOPAZE, *rougissant* : Non, madame, non. Mais ces fonctions, de quelle nature sont-elles?

CASTEL-BÉNAC : Eh bien, mon cher Topaze... Vous me permettez de vous appeler mon cher Topaze?

TOPAZE : C'est un grand honneur pour moi, monsieur.

CASTEL-BÉNAC : Eh bien, mon cher Topaze, asseyez-vous. Je vais ouvrir une nouvelle agence d'affaires. Et comme je suis débordé de travail, il me faut un homme de confiance. L'agence portera son nom, et il en sera, en somme, le véritable directeur.

SUZY : Voilà le poste que Monsieur vous destine.

TOPAZE : Mais, madame, un directeur... dirige.

SUZY : Exactement.

TOPAZE : Suis-je capable de diriger?

SUZY : Pourquoi pas?

TOPAZE : Madame, cette confiance m'honore, mais je crains que vous n'ayez une trop bonne idée de mes capacités.

SUZY : Mais non... Vous êtes professeur, monsieur Topaze.

TOPAZE : Justement, madame. Je suis professeur.

C'est-à-dire que, hors d'une classe, je ne suis bon à rien.

CASTEL-BÉNAC : Allons, cher ami... Vous savez dicter?

TOPAZE, *il s'éclaire :* Oh! pour ça, oui.

SUZY : Vous dicterez le courrier aux dactylos, et vous surveillerez leur orthographe.

TOPAZE, *joyeux :* Pour l'orthographe, je m'en charge.

CASTEL-BÉNAC : Et vous savez signer?

TOPAZE, *enthousiaste :* Naturellement! Je ne dis pas que j'ai une jolie signature, mais elle est très difficile à imiter. Aucun de mes élèves n'y a jamais réussi.

CASTEL-BÉNAC : Eh bien, vous signerez à ma place, voilà tout.

SUZY : Que pensez-vous de cette proposition?

TOPAZE : Ce que j'en pense? C'est la plus belle chance de ma vie et c'est à vous que je la dois... mais j'hésite à l'accepter.

SUZY : Pourquoi?

CASTEL-BÉNAC, *brusquement, à lui-même :* Ah! Bon Dieu! Zut! J'avais oublié ça.

SUZY : Quoi donc?

CASTEL-BÉNAC, *à Topaze :* Où êtes-vous né?

TOPAZE : Moi? A Tours.

CASTEL-BÉNAC : Alors, c'est fichu pour les balayeuses.

TOPAZE : Parce que je suis Tourangeau?

CASTEL-BÉNAC, *à Suzy :* On n'a pas le temps de faire venir ses papiers d'état civil.

SUZY : Ah! c'est vrai!

TOPAZE, *souriant :* Les voici!

CASTEL-BÉNAC : Comment?

SUZY : Vous les portez sur vous?

TOPAZE : Par hasard! C'est mon dossier que M. Muche m'a rendu ce matin.

CASTEL-BÉNAC, *à Suzy* : Ah! ça, c'est épatant!

SUZY : Vous voyez bien que c'est Dieu qui l'envoie!

TOPAZE : Oh! non, madame, c'est tout simplement M. Muche.

SUZY, *à Castel-Bénac* : Qu'en dites-vous?

CASTEL-BÉNAC : Mais il est parfait! Il est certain que nous avons là toutes les pièces nécessaires.

SUZY : Alors, il peut signer les balayeuses?

TOPAZE : Ha! ha... Me voilà déjà en pays inconnu.

CASTEL-BÉNAC, *à Suzy* : Vous êtes d'avis qu'on le fasse marcher si vite?

TOPAZE : Mais oui, monsieur... Faites-moi marcher tout de suite, n'hésitez pas.

SUZY, *à Castel-Bénac* : Que risquons-nous?

TOPAZE : Absolument rien. Je ne dis pas que je réussirai du premier coup, mais je puis toujours essayer.

CASTEL-BÉNAC, *à Suzy* : Vous en prenez la responsabilité?

SUZY : Absolument.

CASTEL-BÉNAC : Eh bien! soit! *(A Topaze.)* Je vais d'abord vous donner une petite signature.

Topaze dévisse le capuchon de son stylo. Castel-Bénac a tiré son carnet de chèques, il signe et lui tend un chèque.

TOPAZE, *il lit* : Payez à l'ordre d'Albert Topaze la somme de cinq mille deux cents francs. Pourquoi?

CASTEL-BÉNAC : Votre commission sur l'affaire, et un mois d'avance.

TOPAZE : Cinq mille deux cents francs... *(Il les regarde, l'un après l'autre, puis consterné.)* Ah... grands dieux...

SUZY : A quoi pensez-vous?

TOPAZE, *ému, mais digne :* J'ai, madame, une assez grande expérience de la vie. Et je sais bien que l'on n'offre pas des fonctions aussi grassement payées à un homme incapable de les remplir.

CASTEL-BÉNAC : Mais, puisqu'on vous dit...

TOPAZE, *catégorique :* On ne me dit pas tout. Votre bienveillance cache quelque chose, et je sais bien quoi. Madame, je vous remercie, mais je n'en suis pas encore là.

SUZY, *un peu troublée, mais souriante :* J'avoue que je ne comprends pas!

> *Castel-Bénac reprend vite les papiers étalés sur la table.*

TOPAZE : Ah! madame, n'est-il pas visible que cette histoire d'agence et de balayeuses n'est qu'une façon déguisée de me faire la charité?

> *Castel-Bénac pousse un grand soupir de soulagement et pouffe de rire.*

SUZY : Mais qu'allez-vous imaginer? Croyez-vous que je me serais permis une chose pareille?

CASTEL-BÉNAC : Mon cher ami, vous vous trompez complètement... Je vous donne ma parole d'honneur que vous pouvez me rendre les plus grands services.

TOPAZE, *convaincu :* Votre parole d'honneur?

SUZY : Faut-il que je vous fasse un grand serment?

TOPAZE, *illuminé :* Mais alors, c'est trop beau...

CASTEL-BÉNAC, *rondement :* Signez donc, cher ami... Et inscrivez sous votre nom : « Agent d'affaires ».

TOPAZE, *le stylo à la main :* Monsieur, madame, c'est avec une émotion profonde et une définitive gratitude que je vous donne cette signature.

> *Il signe. Castel-Bénac prend les papiers.*

CASTEL-BÉNAC : Bien! mon cher directeur, je vous

remercie. Je serai de retour dans une demi-heure, et si vous voulez bien m'attendre, nous pourrons causer plus longuement.

SUZY : Eh bien, j'espère que vous êtes content?

TOPAZE : Comment vous témoigner mon dévouement?

CASTEL-BÉNAC : D'abord, en changeant de chapeau.

SUZY : Régis!

CASTEL-BÉNAC : Oui. M. Topaze a un très joli chapeau de professeur, mais, maintenant, il lui faut un feutre d'homme d'affaires.

TOPAZE : Bien. Et ensuite?

SUZY : Ensuite, remplissez scrupuleusement vos fonctions. Pour le moment, il ne faut que signer et vous taire.

TOPAZE, *surpris :* Me taire?

SUZY : Oui. En affaires, la première qualité c'est la discrétion.

CASTEL-BÉNAC : Très important! Secret professionnel.

TOPAZE, *il est visiblement flatté :* Comme pour un médecin?

SUZY : Exactement.

CASTEL-BÉNAC : Reprenez votre chèque. A tout à l'heure, mon cher directeur, j'aurai d'ailleurs quelques signatures à vous demander. Vous me permettez de vous enlever Madame pour quelques instants?

TOPAZE : Bien volontiers, monsieur.

SUZY, *coquette :* Comment? Bien volontiers?

TOPAZE : C'est-à-dire que... Hum.

CASTEL-BÉNAC : Oui, hum... *(A Suzy.)* Il est inouï!

Ils sortent.

.... *Scène* VII ....

TOPAZE seul,
puis LE MAITRE D'HOTEL et ROGER

Topaze reste seul quelques secondes. Il sourit, il regarde le chèque, puis il murmure.

TOPAZE : Monsieur le directeur... mon cher directeur... *(Il regarde encore le chèque. Il murmure.)* Cinq mille deux cents francs... *(Et après un court calcul mental.)* Trois cent quarante-six leçons à quinze francs... Ah! les affaires, c'est inouï... *(Un temps.)* Quand Tamise va savoir ça! Lui qui me traitait d'arriviste! *(Un temps.)* Il avait peut-être raison!

Entre le maître d'hôtel qui précède le jeune Roger.

LE MAITRE D'HOTEL : Je vais prévenir Madame.

ROGER : Bien, allez.

.... *Scène* VIII ....

TOPAZE, ROGER

Topaze a remis son chèque dans sa poche. Il feint de regarder de près les tableaux. Roger l'examine, puis s'assoit. Il paraît légèrement inquiet. Enfin, après quelques regards, Roger le salue d'un signe de tête. Topaze répond en s'inclinant profondément, et reprend sa contemplation des tableaux. Roger se lève et vient regarder le même tableau.

ROGER : Vous aimez beaucoup la peinture?

TOPAZE : Oui, j'en suis curieux.

Un temps.

ROGER : Vous peignez peut-être vous-même?

TOPAZE : Non, monsieur.

ROGER : Vous êtes peut-être marchand de tableaux?

TOPAZE : Non. *(Un temps.)* Je suis dans les affaires.

ROGER : Ah? *(Un temps.)* Moi aussi. Vous êtes des amis de Castel-Bénac?

TOPAZE : Je ne puis pas dire que je sois de ses amis, quoiqu'il me témoigne beaucoup d'amitié. Je suis simplement son collaborateur.

ROGER : Depuis longtemps?

TOPAZE : Mon Dieu, non. Depuis quelques minutes, mais pour longtemps, je l'espère.

ROGER, *il change de ton :* C'est-à-dire que c'est vous qui faites les balayeuses?

TOPAZE, *distant :* Monsieur, en affaires, la première qualité c'est la discrétion.

ROGER : Surtout pour ces affaires-là.

TOPAZE, *innocent et mystérieux :* Peut-être.

ROGER : Non, pas peut-être. Sûrement. Vous pensez si je connais le coup des balayeuses! Je connais même un monsieur qui l'aurait fait, s'il avait consenti à travailler au rabais. Comme vous.

TOPAZE : Comme moi? Au rabais? *(Il a un sourire ironique.)* Au rabais!

Il rit comme quelqu'un à qui on vient d'en dire « une bien bonne ».

ROGER : Entre nous, qu'est-ce qu'il vous donne?

TOPAZE : Cette fois, je puis vous répondre puisqu'il s'agit de moi-même. Voyez.

Il montre le chèque.

ROGER : Cinq mille deux cents. C'est votre commission?

TOPAZE : Mon fixe et ma commission.

ROGER : Dites donc, vous rigolez?

TOPAZE, *béat :* Un peu. *(Roger recule et regarde Topaze avec stupeur.)* Je n'ai eu d'ailleurs aucun mérite à obtenir cette somme, c'est lui-même qui me l'a proposée.

ROGER : Cher monsieur, en affaires il est souvent très bon de prendre l'air idiot, mais vous poussez la chose un peu loin.

TOPAZE, *digne et froid* : Monsieur, il m'est pénible de m'entendre appeler idiot par une personne que je ne connais pas. Par égard pour la maison de notre hôtesse, il vaut mieux arrêter là cette conversation.

Il lui tourne le dos.

ROGER : Vous avez tort de faire tant de dignité devant un homme qui vous reverra sans doute quelque jour en correctionnelle.

TOPAZE, *effaré* : Correctionnelle?

ROGER : Peut-être plus tôt que vous ne pensez. Ce n'est pas moi qui irai vous dénoncer, certes non, mais il y a cinq ou six personnes qui sont au courant et qui risquent de manger le morceau. Si vous avez marché à ce prix-là pour une pareille responsabilité, alors, c'est navrant !

TOPAZE : Voyons, monsieur, vous me donnez l'impression que vous parlez de cette affaire comme si elle n'était pas rigoureusement honnête. *(Roger rigole doucement.)* Monsieur, je vous somme de vous expliquer.

ROGER : De toutes les canailleries que cette vieille fripouille a montées, l'affaire des balayeuses est celle qui présente les plus grands dangers.

TOPAZE : Mais à qui, dans votre pensée, s'applique ce terme de vieille fripouille?

ROGER : A notre brillant conseiller municipal.

TOPAZE : Quel conseiller municipal?

ROGER : Comment? vous ne savez même pas que Castel-Bénac est conseiller municipal?

TOPAZE : Mais non!

ROGER : Alors, vous ignorez le genre de services qu'il attend de vous?

TOPAZE : Je dois le seconder et signer à sa place, tout simplement.

ROGER : Tout simplement. Oh! celui-là, alors, il est inouï! Mais d'où sortez-vous?

TOPAZE : De l'enseignement.

ROGER : Ah! malheur! j'aurais dû m'en douter. Allez, mon pauvre monsieur, si vous savez où est votre chapeau, prenez-le et foutez le camp. Vous n'avez rien à faire ici.

TOPAZE, *enflammé* : Ah non! monsieur, on ne diffame pas ainsi les gens sans apporter des précisions. De quoi accusez-vous mon bienfaiteur?

ROGER : Mon cher monsieur, votre « bienfaiteur » profite simplement de son mandat politique pour faire voter l'achat de n'importe quoi et fournit lui-même ce n'importe quoi sous le couvert d'un prête-nom.

TOPAZE : Mais ce serait de la prévarication.

ROGER : Peut-être!

TOPAZE, *indigné* : La forme la plus honteuse du vol!

ROGER, *souriant et désabusé* : Oh! mon Dieu, vous savez, il ne l'a pas inventée, c'est la base même de tous les régimes démocratiques. *(Un temps.)* Des autres aussi, d'ailleurs.

TOPAZE, *il crie :* Des preuves, donnez-moi des preuves...

ROGER : Écoutez donc : je veux bien éclairer votre lanterne, mais vous ne direz jamais d'où vous viennent ces renseignements?

TOPAZE : S'ils sont exacts, je vous promets le silence.

ROGER : Eh bien, passez un instant à côté. Sur le bureau il y a des dossiers, ouvrez donc le premier venu; si l'enseignement ne vous a pas absolument détruit, vous serez vite renseigné.

TOPAZE : Bien, mais si vous m'avez menti, je reviens vous jeter à la porte!

ROGER : Oui, c'est ça. *(Topaze sort.)* Sainte innocence!

. . . . *Scène* IX . . . .

ROGER, SUZY, CASTEL-BÉNAC

Entre Suzy. Elle paraît étonnée de voir Roger, et elle cherche Topaze du regard.

SUZY : Re-bonjour. Vous avez eu un remords?

ROGER : Non, madame, un regret. J'ai regretté cette rupture quand j'ai réalisé qu'elle me priverait du plaisir de vous voir.

SUZY : Flatteur...

ROGER : Et je reviens faire la paix avec Castel-Bénac.

SUZY : Mon cher ami, la paix est toute faite... A l'heure actuelle, il a certainement oublié la discussion de tout à l'heure... Mais pour repêcher les balayeuses, je crains qu'il ne soit trop tard... J'ai l'impression qu'il est allé chercher quelqu'un...

ROGER : Oui, j'en ai comme une intuition. Mais s'il ne trouve personne, ou si la personne qu'il aura trouvée ne lui offrait pas une sécurité complète, j'espère que vous me rappellerez au bon souvenir de notre ami.

SUZY : Soyez certain que je n'y manquerai pas, et je suis touchée de cette démarche...

ROGER : D'ailleurs, madame, s'il était impossible de raccrocher l'affaire, je voudrais que vous rassuriez notre ami sur mes intentions à son égard. Dites-lui bien, madame, je vous en prie, que, malgré la façon un peu cavalière dont il en use envers moi, il ne saurait être question, entre nous, de représailles.

SUZY : Quelles représailles?

ROGER : Je pourrais par exemple le taquiner par des échos dans les journaux, ou me divertir par l'envoi de lettres non signées qui donneraient à ses ennemis les moyens de lui nuire... Je tenais à vous dire, madame, que je ne le ferai pas.

SUZY : Mais, cher ami, j'en suis bien certaine. D'abord parce que vous êtes gentilhomme. Et ensuite, parce que vous n'avez aucun intérêt à dévoiler des histoires dans lesquelles vous avez joué un rôle important.

ROGER : C'est vrai. Mais il a fait sans moi d'autres affaires et beaucoup de gens les connaissent... Si, par exemple, il avait des ennuis pour les balayeuses, je tiens à vous dire à l'avance qu'ils ne viendraient pas de moi.

SUZY : J'en suis absolument persuadée...

ROGER : Je vous en remercie, madame.

CASTEL-BÉNAC, *entrant :* Vous êtes encore là?

ROGER : Oh! cher ami, je disais à Madame que si, par hasard, vous aviez besoin de moi, je serai jusqu'à minuit à Passy virgule un.

Il sort.

. . . . *Scène* x . . . .

SUZY, TOPAZE, CASTEL-BÉNAC

CASTEL-BÉNAC : Lessivé! Les balayeuses, bztt! Ah! je suis content de ne plus travailler avec cette fripouille!

SUZY : Tu as déposé le dossier?

CASTEL-BÉNAC : Oui, maintenant l'affaire est réglée. Où est ton protégé?

SUZY : Je pense qu'il visite les bureaux.

CASTEL-BÉNAC : Il est très bien, ce garçon. Il me plaît beaucoup. C'est le type même de l'abruti... *(Entre Topaze.)* Eh bien, cher ami?

Il va vers lui. Topaze s'écarte.

TOPAZE, *mélodramatique* : Madame... Savez-vous qui est M. Castel-Bénac?

CASTEL-BÉNAC, *stupéfait* : Comment, qui je suis?

SUZY : Quelle étrange question!

TOPAZE : Madame, ignorez-vous ce que je viens d'apprendre?

CASTEL-BÉNAC : Qu'est-ce que c'est que cette plaisanterie?

TOPAZE, *à pleine voix* : Cet homme qui jouit de votre confiance et que vous honorez de votre amitié, cet homme est un malhonnête homme.

CASTEL-BÉNAC : Moi!

SUZY : Monsieur Topaze, songez-vous à ce que vous dites?

TOPAZE : Madame, écoutez bien les mots que je prononce. *M. Castel-Bénac est un prévaricateur.* Il est donc juste et nécessaire que cet homme soit mis en prison. J'ai bien l'honneur de vous saluer.

SUZY : Où allez-vous?

TOPAZE, *en sortant* : Chez le procureur de la République.

CASTEL-BÉNAC : Ah! ça! Mais...

SUZY : Monsieur Topaze, un instant! *(Elle veut le retenir.)*

CASTEL-BÉNAC, *à Suzy* : Eh bien, chère amie, on peut dire que vous avez la main heureuse. C'est vous qui avez choisi cet halluciné!

SUZY : Régis, laissez-nous seuls, je vous prie; je me charge d'expliquer la chose à Monsieur.

CASTEL-BÉNAC : Bien. Expliquez-lui ce que vous voudrez, mais surtout dites-lui bien que s'il est piqué des hannetons, moi je le fais boucler chez les fous, et puis ça ne sera pas long!

Il sort.

.... *Scène* XI ....

SUZY, TOPAZE

SUZY : Monsieur Topaze, voulez-vous me perdre?

TOPAZE : Vous?

SUZY : Moi.

TOPAZE : Votre sort est donc lié au sien?

SUZY, *elle se laisse tomber sur le divan et dans un souffle elle murmure* : Oui.

TOPAZE : Vous, complice de ce forban! Vous! Ah! Grands dieux!

SUZY : Vous avez tout compris trop tôt, et vous savez dès maintenant ce que je voulais vous dire demain.

TOPAZE : Madame, que vouliez-vous me dire?

SUZY : Mon histoire, ma stupide histoire... Vite : nous avons peu de temps... Écoutez-moi...

TOPAZE : Je vous écoute, madame.

SUZY : Quand j'ai connu Castel-Bénac, je n'étais encore qu'une enfant. Il fréquentait la maison de mon père, il était le conseil financier de toute ma famille... Il exerçait la profession d'avocat, et il faisait de la politique.

TOPAZE : Naturellement.

SUZY : Oui, naturellement. Quand je me suis trouvée seule au monde, je me suis tournée vers lui parce qu'il était l'exécuteur testamentaire de mon père.

TOPAZE : Je vois ça très bien.

SUZY : Il m'a conseillé de tout vendre : l'usine, les terres, le château, puis je lui ai confié toute ma fortune, et il s'est occupé de placer mon argent.

TOPAZE : Dans quelles affaires, grands dieux!

SUZY : Je ne le savais pas! De temps à autre, il me

faisait signer des papiers, auxquels je ne comprenais rien, sinon qu'il s'agissait de contrats avec la ville...

TOPAZE : Vous avez signé?

SUZY : Oui.

TOPAZE : Vous eussiez mieux fait de vous couper la main droite!

SUZY : Oh oui! mais je signais sans savoir : comme vous tout à l'heure.

TOPAZE : C'est vrai, comme moi!... Et quand avez-vous compris?

SUZY : Trop tard.

TOPAZE : Pourquoi? Il n'est jamais trop tard!

SUZY : Je pouvais le perdre : je ne pouvais plus me sauver. Quel tribunal aurait cru à ma bonne foi?

TOPAZE : Mais, madame, il aurait suffi de raconter ce douloureux roman comme vous venez de me le raconter. L'accent de la sincérité ne trompe pas!

SUZY : Oui, peut-être, j'aurais dû le dénoncer dès que j'ai compris. Mais maintenant je suis perdue, car depuis plus d'un an j'assiste sans mot dire à ces tripotages, et il m'a bien souvent forcée à y prendre part. Vous m'avez crue complice! Ah! Pas complice... victime! Jugez-moi!

TOPAZE, *un temps* : Les voilà bien, les drames secrets du grand monde! Ah! le monstre est complet! Mais pourtant, madame, c'est vous, tout à l'heure, qui m'avez jeté dans ses griffes! Pourquoi?

SUZY : Vous n'avez pas compris?

TOPAZE : Non.

SUZY : Que peut faire une femme seule, qui se sent au pouvoir d'un homme redoutable? Pleurer... et chercher un appui.

TOPAZE, *ébloui* : Et vous m'aviez choisi? Moi? Moi?... Pourquoi, madame, dites-moi pourquoi?

SUZY, *à voix basse :* Je ne sais pas...

TOPAZE : Mais oui, vous le savez... Vous le savez, dites-le-moi!

SUZY : Eh bien... la première fois que je vous ai vu, j'ai été frappée, dès l'abord, par votre visage énergique... *(Topaze prend un air énergique.)* Il m'avait semblé lire dans vos yeux... un certain intérêt... Presque une promesse de dévouement... Je pensais : « Celui-là n'est pas comme les autres... Il est simple, intelligent, énergique, désintéressé... Si j'avais tout près de moi... un homme comme lui, je serais protégée, défendue... peut-être sauvée! » *(Elle le regarde en face.)* Me suis-je trompée?

TOPAZE : Non, non, madame. Cet immense honneur, je veux en être digne. Madame, qu'attendez-vous de moi?

SUZY : D'abord le silence. Si vous parlez, je suis ruinée, déshonorée, perdue.

TOPAZE : C'est bien. Je me tairai.

SUZY : Et puis, il faut rester auprès de moi. J'ai tant besoin de vous.

TOPAZE, *tremblant :* Oui, madame... Je veux rester auprès de vous.

SUZY : Merci. *(Elle lui serre les deux mains.)* Merci. Mais savez-vous à quelle condition?

TOPAZE : Non.

SUZY : Il faut regagner la confiance de notre ennemi.

TOPAZE : Comment le puis-je, après les mots que j'ai prononcés tout à l'heure?

SUZY : Écoutez mon plan. Il est simple, il est efficace, — car, cette situation qui est nouvelle pour vous, j'y pense depuis bien longtemps! Il faut vous installer dans la place — il faut faire bon visage à Castel-Bénac, le seconder dans ses affaires... Ainsi, peu à peu, vous l'étudierez, vous chercherez son point faible, vous le trouverez, et quand vous jugerez que vous pouvez le frapper sans m'atteindre, alors vous frapperez!

TOPAZE : Quoi! Je découvre un criminel, et je deviendrais son complice!

SUZY : Oui, si vous voulez me sauver!

TOPAZE, *un long temps. Il se lève, soupire profondément* : Ah! Ce débat est cornélien! Quel carrefour! Quel conflit de devoirs! Ah! si j'avais seulement une heure pour peser le pour et le contre!

SUZY : C'est tout de suite qu'il faut choisir. Castel-Bénac est dans la pièce à côté. Il croit que je suis en train de vous exposer les avantages de votre complicité, et peut-être de vous proposer une augmentation, afin de calmer vos scrupules.

TOPAZE : Quelle bassesse!

SUZY : Il faut lui laisser croire que tel fut le sujet de notre conversation. Et, pour le rassurer, il faudrait lui donner très vite une preuve de docilité.

TOPAZE : Oui, évidemment. Mais laquelle?

SUZY, *elle feint de chercher* : Oui, laquelle?

TOPAZE : Si je lui serrais la main, la première fois que je le verrais?

SUZY : Il faut le faire, mais ce n'est pas assez.

TOPAZE : Si je lui rendais ces papiers, en lui disant que tout va bien?

SUZY : Excellent! Mais il faut les lui rendre signés.

TOPAZE : Pourquoi signés?

SUZY : Parce que votre signature signifie que vous marchez avec lui et endormira sa méfiance. Donnez. *(Elle prend les papiers.)* Qu'est-ce que c'est que ça?

TOPAZE : Achat de huit maisons à la rue Jameau, pour les revendre très cher à la ville, qui doit exproprier pour élargir la rue.

SUZY : Tenez, asseyez-vous là... Prenez cette plume, et signez ici...

TOPAZE, *il a une dernière hésitation, il regarde Suzy :* C'est difficile.

SUZY : Pour moi.

> *Il signe. Elle lui passe un autre papier.*

Celui-ci... *(Il signe.)* Celui-ci... *(Il signe.)*

> *Pendant que le rideau descend.*

Acte III

Un bureau moderne tout neuf. Au premier plan,
deux énormes fauteuils de cuir, dos au public. Au
second plan, un formidable bureau américain. Contre
le mur du fond, entre les deux portes, un énorme
coffre-fort.
Aux murs, des placards sévères portant des inscrip-
tions catégoriques : « Soyez brefs », « Le temps,
c'est de l'argent », « Parlez de chiffres », etc., etc.
Au premier plan, à gauche, la porte d'entrée. A
droite, sur une autre porte : « Comptabilité. » Sur
le bureau : annuaires, Bottin, téléphone, un fichier
contre le mur.

.... Scène I ....

TOPAZE, LA DACTYLO

Quand le rideau se lève, Topaze est assis derrière
le bureau. Il est immobile. On ne voit que le haut
de son visage. Il porte maintenant de grosses lunettes
à monture d'écaille. Il est très pâle, il paraît anxieux,
tourmenté. Au moindre bruit, il tressaille. On frappe
à la porte. Il tressaille, il attend. On frappe de
nouveau, il se lève, il demande : Qui 'est là ? *Une*
voix répond : La dactylo. *Il tire le verrou, il*
entrebâille la porte et laisse entrer une petite
dactylo.

LA DACTYLO : C'est un monsieur qui voudrait voir M. le directeur.

Elle tend une fiche. Topaze la prend, la lit, et frissonne.

TOPAZE : Oscar Muche!

LA DACTYLO : Il est avec une jeune fille.

TOPAZE : Ernestine!... Que vous a-t-il dit?

LA DACTYLO : Rien. Il attend.

TOPAZE : De quel air?

LA DACTYLO : Il a l'air sévère.

TOPAZE : Très sévère?

LA DACTYLO : Oh! oui! et il marche tout le temps.

TOPAZE : Dites-lui que je suis absent.

LA DACTYLO : Bon!

TOPAZE : Mais dites-le-lui avec sincérité, d'un ton naturel...

LA DACTYLO, *en sortant* : Oh! j'ai l'habitude...

TOPAZE : Ernestine! Elle était avec lui! Grands dieux!

La dactylo revient.

LA DACTYLO : Il a dit qu'il reviendrait.

TOPAZE : Il ne faudra pas le recevoir. Jamais! Jamais! Vous savez les ordres : dites toujours que je suis absent, et ne recevez personne, entendez-vous? Personne. Allez, retirez-vous, j'ai du travail.

LA DACTYLO : Je voudrais demander quelque chose à M. le directeur.

TOPAZE : Demandez.

LA DACTYLO : Est-ce que M. le directeur nous permet de faire apporter un piano?

TOPAZE : Un piano? Pour quoi faire?

LA DACTYLO : Pour apprendre.

TOPAZE : Ici?

LA DACTYLO : Non, à côté, parce que l'autre dactylo s'ennuie; si on pouvait faire un peu de musique, ça la distrairait.

TOPAZE : Évidemment, la musique est une distraction. Si j'étais seul, mademoiselle, je vous accorderais peut-être cette autorisation. Mais mon associé, M. Castel-Bénac, s'y opposera certainement.

LA DACTYLO : Tant pis!

TOPAZE : Je profite de cette occasion pour vous dire qu'il a vu d'un très mauvais œil les jeux que j'ai tolérés. Il m'a conseillé de vous interdire les cartes, les dominos et le jacquet. D'autre part, il ne veut pas admettre la présence des jeunes gens qui viennent parfois vous tenir compagnie. Il a cru voir en eux des espèces de fiancés.

LA DACTYLO, *indignée* : Eh bien, vous pourrez lui dire qu'il s'est joliment trompé. Je n'ai pas de fiancé, et Germaine non plus. Ce sont des jeunes gens qu'on rencontre dans la rue, alors on les amène ici pour s'embrasser. Parce que Germaine a des chagrins d'amour et il faut la distraire. C'est pour ça qu'elle boit du Pernod. Si vous l'empêchez de vivre, elle deviendra folle.

TOPAZE : Eh bien, je vais parler de tout cela à M. Castel-Bénac. Jusqu'à nouvel ordre, il vaut mieux ne faire monter personne et ne jouer à rien.

LA DACTYLO : Alors, qu'est-ce que nous allons faire?

TOPAZE : Attendre.

LA DACTYLO : Attendre quoi?

TOPAZE : Que je vous donne du travail.

LA DACTYLO : Vous allez nous donner du travail?

TOPAZE : Il est probable que la semaine prochaine je vous ferai copier une lettre.

LA DACTYLO : Oh! ça, je m'y attendais! Depuis quelques jours, vous avez du parti pris contre nous. On ne peut pas s'y remettre si brusquement.

TOPAZE, *avec une colère subite qui rappelle exactement ses explosions de la pension Muche* : Mademoiselle, si je vous donne l'ordre de me copier une lettre, vous me la copierez. Ah! çà, vous prenez donc ma bonté pour de la faiblesse? Non, mademoiselle. Sachez que le gant de velours cache une main de fer. Prenez garde, mademoiselle, si vous avez le mauvais esprit, je vous briserai! Allez, et préparez-vous à me copier cette lettre samedi prochain.

LA DACTYLO : Bien.

Elle va sortir lentement. Topaze la regarde, puis il la rappelle.

TOPAZE : Mademoiselle... je viens de vous parler durement. Ne m'en veuillez pas : les affaires sont les affaires.

LA DACTYLO, *humble* : Oui, monsieur le directeur.

Elle sort.

. . . . *Scène* II . . . .

TOPAZE seul,
puis SUZY, puis CASTEL-BÉNAC

Topaze est nerveux. Il se promène, l'air sombre, il hoche la tête et il murmure : L'œil était dans la tombe et regardait Caïn. *Soudain, le téléphone sonne. Topaze prend le récepteur. Il écoute. Il se pince les narines de la main gauche pour répondre.*

TOPAZE : M. Topaze est sorti, monsieur... Quel journal? *La Conscience publique?* Bien, monsieur... Je ne sais pas s'il pourra vous recevoir, monsieur... Ce n'est peut-être pas la peine de vous déranger... Bien, monsieur, je vous remercie. *(Il raccroche.)* Un journaliste, naturellement.

Entre Suzy.

SUZY : Bonjour, mon cher Topaze. Comment allez-vous?

TOPAZE : Aussi bien qu'il m'est possible, madame, et je vous remercie de l'intérêt que vous voulez bien me porter.

SUZY : Mais, mon cher ami, si je ne m'intéressais pas à vous, je ne vous aurais pas confié la direction d'une affaire aussi importante.

TOPAZE : Je vous en suis très reconnaissant, madame.

SUZY : Où dînez-vous, ce soir?

TOPAZE : Dans ma chambre.

SUZY : Eh hé! Compagnie galante?

TOPAZE : Non, madame. Solitude et réflexion.

SUZY : Eh bien, ce soir, vous dînez avec moi.

TOPAZE : Avec vous?

SUZY : Oui. Il y aura aussi Castel-Bénac et quelques amis... Cela vous distraira.

TOPAZE : Je vous demanderai la permission de ne pas accepter cette invitation, car j'aime mieux ne voir personne.

SUZY : Vous refusez?

TOPAZE : Si vous me le permettez, madame.

SUZY : Même si je vous dis que j'aimerais assez bavarder avec vous?

TOPAZE : Non, madame. D'abord, je ne sais plus bavarder, et ensuite vous n'y prendriez aucun plaisir.

SUZY : Voyons, mon cher Topaze, qu'avez-vous?

TOPAZE : Je n'ai rien, madame. Absolument rien.

SUZY : Savez-vous que Castel-Bénac est très inquiet sur votre compte?

TOPAZE : C'est une grande bonté de sa part.

SUZY : Il vous trouve amaigri... sans entrain...

TOPAZE : C'est un homme qui a du cœur.

SUZY : Qu'avez-vous donc? Vous ne pouvez pas vous habituer?

TOPAZE : Il y a des choses auxquelles on ne peut pas s'habituer.

SUZY : Voyons... vous savez que je suis votre amie?

TOPAZE : Certainement.

SUZY : Eh bien, qu'y a-t-il?

TOPAZE, *brusquement* : Madame, il y a que je sais tout. Il y a quarante-deux jours que je suis entré dans cette maison, et depuis vingt-trois jours, je sais que vous vous moquez de moi.

SUZY : Si vous continuez à me parler sur ce ton, je crois que je finirai par me moquer de vous!

TOPAZE : Le 13 avril, à sept heures du soir, je suis allé chez vous, car vous m'aviez invité à dîner. J'attendais dans le petit salon, lorsque à travers une porte vitrée j'entendis une conversation effroyable.

SUZY : Effroyable?

TOPAZE : Hideuse. Mais pleine de sens pour moi. M. Castel-Bénac disait : « Chérie, pourquoi as-tu invité le sympathique idiot? » et vous avez répondu : « Le sympathique idiot est très utile et il faut un peu l'amadouer. » Le sympathique idiot, c'était moi. Quant au mot « chérie », il m'a suffisamment renseigné sur la nature de vos relations avec cet homme.

SUZY : Mon cher, si vous ne l'aviez pas compris tout de suite, vous méritiez qu'on vous le cache.

TOPAZE : Cachât!

SUZY : Comment, cachât?

TOPAZE : Qu'on vous le cachât. Ainsi, vous avouez! Vous êtes la... la maîtresse de cet homme adultère.

SUZY : Et après?

TOPAZE : Ah! grands dieux!

SUZY : Et cette petite aventure prouve une fois de plus qu'on n'a aucun intérêt à écouter aux portes. Je vous croyais plus délicat et je trouve que vous avez une bien vilaine façon d'apprendre par surprise ce que tout le monde sait.

TOPAZE : Ah! madame! Oseriez-vous dire que j'aurais accepté cette situation affreuse si vous ne l'aviez pas déguisée? Vous m'avez attiré dans un guet-apens!

SUZY : Mais non! C'est le hasard qui vous a conduit ici, au moment où nous cherchions quelqu'un. Et c'est parce que j'avais pour vous de la sympathie que je vous ai offert...

TOPAZE : Madame, si vous aviez pour moi de la sympathie, vous auriez mieux fait, ce jour-là, de me jeter dans la Seine.

SUZY : Mais quand vous avez accepté...

TOPAZE : J'ai accepté sur un sourire, sur deux mots de vous, enivré par le conte absurde que votre beauté m'avait fait croire... J'étais le vaillant chevalier, choisi pour combattre le monstre et délivrer la beauté prisonnière... Je vivais dans un rêve, dans une atmosphère de poésie et d'extravagance... Mais le 13 avril, à sept heures du soir, je suis retombé sur le sol, et ce sol c'était de la fange et de la boue.

SUZY : Selon ce que m'a dit Régis, vous avez gagné trente-deux mille francs en un mois. De quoi vous plaignez-vous?

TOPAZE : De ma conscience.

SUZY : Laissez-la donc tranquille!

TOPAZE : Mais c'est elle qui me poursuit, qui me traque, qui m'environne! Le poids de mes actes m'écrase. Caché dans ce bureau, je sens que l'univers m'assiège!... Ce matin encore, je me suis penché à cette fenêtre, malgré moi, pour voir passer trois balayeuses, qui portent sur l'avant mon nom en lettres nickelées : « Système Topaze ». Le reflet du soleil sur cette imposture étincelante m'a forcé de baisser les yeux; j'ai bondi en arrière, j'ai refermé la fenêtre, mais le bruit de leurs moteurs m'arrivait encore et savez-vous ce qu'ils disaient, ces moteurs? Ils disaient : « Tripoteur! Tripoteur! Tripoteur! » Et les brosses obliques, en frôlant les pavés, chuchotaient : « Topaze escroc! Topaze escroc! »

SUZY : Mais vous êtes fou, mon pauvre ami! Il faut parler de ces visions à M. Castel-Bénac!

TOPAZE, *morne* : A quoi bon! Je sais bien que ce sont des hallucinations, mais elles me tourmentent nuit et jour...

SUZY : Parce que vous demeurez ici, enfermé comme un prisonnier! Il faudrait profiter de votre situation, voir des gens, sortir!

TOPAZE : Sortir! Croyez-vous, madame, que je sois en état de soutenir le regard d'un honnête homme?

SUZY : En admettant que le regard d'un honnête homme ait quelque chose de particulier, on n'en rencontre pas tellement! *(Elle le regarde, surprise par les tics nerveux qui l'agitent.)* Mais c'est vrai qu'il a l'air d'un fou! Topaze, écoutez-moi; en ce moment, vous êtes malade. Voulez-vous aller passer quelques semaines à la campagne? J'expliquerai la chose à Castel-Bénac.

TOPAZE : Non, non, madame. Non. Je reste ici. J'attends.

SUZY : Et qu'attendez-vous?

TOPAZE, *solennel* : Ce qui doit arriver.

SUZY, *inquiète* : Est-ce que vous nous auriez dénoncés?

TOPAZE : Hélas! non... Je n'ai même plus ce courage... Révéler votre indignité, ce serait proclamer mon infa·mie... Et puis, vous dénoncer, vous?

SUZY : Pourquoi pas moi?

TOPAZE, *rudement* : Allons, madame, ne feignez pas. Ce sentiment que je vous tais, vous l'avez su même avant moi. Et vous vous en êtes servie avec une adresse diabolique, pour me jeter dans les tourments où je suis aujourd'hui. Et voyez jusqu'où va ma bêtise : je sais tout, et ce sentiment n'est pas mort. Oui, je vous hais et je vous aime à la fois... Et je sais pourquoi je vous hais, mais j'ignore pourquoi je vous aime... Mais, dans tous ces malheurs et toute cette haine, la seule douceur qui me reste, c'est de vous aimer toujours.

SUZY, *après un silence rêveur* : Vous êtes fou, mais vous dites parfois des mots gentils.

TOPAZE, *amer* : Oui, gentils.

SUZY : Depuis longtemps, j'attendais cette scène... Car je savais bien que vous finiriez par apprendre la vérité, et je me demandais avec une certaine inquiétude ce que vous feriez.

TOPAZE : Vous le voyez, madame, j'ai maigri, et c'est tout ce que j'ai pu faire.

SUZY, *sincère* : Mon pauvre ami! Si vous saviez comme parfois je regrette...

TOPAZE : Mais non, vous ne regrettez rien, puisque vous avez obtenu ce que vous désiriez : un homme de paille soumis et timide; ainsi vous gagnez de l'argent, et vous vivez dans une sécurité trompeuse auprès de celui que vous aimez; vous l'aimez, cet homme, cet abominable gredin, cet abcès politique, cette canaille enflée qui verra quelque jour fondre sa graisse jaune au soleil des travaux forcés!

SUZY : Mais non, mais non! D'abord, il n'ira jamais aux travaux forcés, et ensuite, je ne l'aime pas.

TOPAZE : Vous ne l'aimez pas?

SUZY : Voyons, Topaze, vous rêvez!

TOPAZE : Mais alors, pourquoi êtes-vous à lui?

SUZY : Parce qu'il me fait une vie honorable!

TOPAZE : Honorable! Mais vous n'êtes qu'une femme entretenue!

SUZY : Bah! Comme toutes les femmes! Que ce soit un mari ou un amant, la différence est-elle si grande?

TOPAZE : Si vous ne l'aimez pas, qui donc aimez-vous?

SUZY : Personne.

TOPAZE : Peut-être avez-vous eu, dans votre adolescence, une déception sentimentale?

SUZY : Pas du tout! L'amour ne m'a jamais déçue, je ne lui ai jamais rien demandé.

TOPAZE : Vous n'avez donc jamais eu de cœur?

SUZY : Je n'ai jamais eu de temps. J'ai eu des soucis, moi, est-ce que vous croyez que tout le monde a votre chance?

TOPAZE : Ma chance!

SUZY : Mais oui! La fortune vous est venue sans même que vous y pensiez, et vous n'avez même pas eu le courage de lui faire bon accueil! Moi, il m'a fallu la gagner, et la gagner vite, sinon, je serais morte d'impatience et de désir. Mais sachez bien que, chaque pas que j'ai fait sur cette route, il m'a fallu le préparer et le payer. *(Brusquement.)* Au fond, que me reprochez-vous? De n'avoir point de mari? Mais si à vingt ans j'avais rencontré un homme riche, prêt à m'épouser, je vous jure que je n'aurais pas dit non! Mais j'étais pauvre. Qui étaient mes prétendants? Le fils d'un maréchal ferrant, un marchand de journaux et un contrôleur des tramways. Si j'avais accepté, que serais-je aujourd'hui? Une femme vieillie avant l'âge, les dents jaunes et les mains détruites. Regardez ce que j'ai sauvé!

Elle montre ses dents et ses mains.

TOPAZE, *faiblement* : Pourtant l'argent ne fait pas le bonheur.

SUZY : Non, mais il l'achète à ceux qui le font. Moi, j'ai su ce que je voulais, et ce que j'ai voulu, je l'ai!

D'ailleurs, je n'ai pas à me justifier devant vous, et je ne sais même pas pourquoi je vous raconte ces choses.

TOPAZE : Peut-être avez-vous pour moi de la sympathie?

SUZY : Oui, je vous l'ai dit et c'est vrai.

TOPAZE : Mais peut-être un jour, cette sympathie...

SUZY : Mon cher Topaze, mettons les choses au point : je me suis intéressée à vous parce que j'ai reconnu en vous la noble, la grandiose, l'émouvante stupidité de mon père... Il avait un petit emploi, plus petit encore que n'était le vôtre. Il le remplissait, comme vous, avec une merveilleuse conscience... Il est mort pauvre. Pauvre... Vous voyez que cette sympathie, ce n'est pas de l'amour... Et d'ailleurs, même si j'avais envie de vous aimer, je ne me laisserais pas aller.

TOPAZE : Pourquoi?

SUZY : Parce que vous êtes un homme timide, faible, crédule... J'aurais besoin d'un homme qui me traîne dans la vie et vous, vous n'êtes qu'une remorque.

TOPAZE : Si vous saviez, dans le fond, quel courage et quelle énergie...

SUZY : Non, mon cher. Vous avez des visions, vous entendez parler les balayeuses! C'est bien joli, mais ce n'est pas rassurant. Je ne vous demande que votre amitié, comme je vous donne la mienne. Et maintenant que la crise est passée, tâchez donc d'apprendre la vie, je vous aiderai de mon mieux.

TOPAZE : Avant que vous entriez ici, je vous aimais d'une façon haineuse; et maintenant, même après ces paroles qui ne me laissent aucun espoir, je vous pardonne de tout cœur ce que vous m'avez fait.

SUZY : Mon bon Topaze! Ce n'est pas du mal, c'est du bien!

TOPAZE : Non. Mais puisque vous l'avez fait dans

une bonne intention, je vais vous dire ce que je gardais secret, ce que...

Entre Castel-Bénac.

CASTEL-BÉNAC : Bonjour, mon cher Topaze.

TOPAZE : Bonjour, monsieur le conseiller.

CASTEL-BÉNAC : Rien de neuf?

TOPAZE : Non, monsieur le conseiller.

CASTEL-BÉNAC : Il n'est pas venu un certain M. Rebizoulet?

TOPAZE : Non, non. Il n'est venu personne.

CASTEL-BÉNAC : Eh bien, il viendra quelqu'un, car vous allez traiter vous-même une affaire. Comme c'est la première, je l'ai choisie facile, et comme vous faites toujours une gueule d'enterrement, je l'ai choisie gaie.

TOPAZE : Bien, monsieur le conseiller.

CASTEL-BÉNAC : Rebizoulet viendra vous voir certainement aujourd'hui.

TOPAZE : Bien, monsieur le conseiller.

CASTEL-BÉNAC : Ce Rebizoulet est propriétaire de la grande brasserie suisse. L'année dernière, nos services de l'hygiène ont construit devant la brasserie l'un de ces petits monuments de tôle qui perpétuent le souvenir de l'empereur Vespasien.

SUZY : A la bonne heure!

CASTEL-BÉNAC : Or, à mesure que l'été s'avance et que le soleil chauffe, cette vespasienne rend la terrasse de la brasserie positivement inhabitable, et la clientèle s'en va. Rebizoulet est donc venu me trouver pour me demander la suppression de l'édicule.

TOPAZE : Cela se comprend.

CASTEL-BÉNAC : Je lui ai répondu que je n'avais pas le temps de m'en occuper, mais que s'il s'adressait à M. Topaze, l'édicule serait sans doute supprimé.

Il va donc venir, et vous le recevrez. Vous lui direz que vous vous chargerez d'obtenir la chose, mais que vous avez des frais et que vous exigez, avant toute démarche, une somme de dix mille francs.

TOPAZE : Mais de quel prétexte puis-je colorer cette demande?

CASTEL-BÉNAC : Vous n'avez rien à colorer. Vous lui demandez dix mille francs. Comme ça. Et il vous les donnera sans aucune difficulté. Alors, je ferai démolir la vespasienne et la ferai transférer en face, devant le café Bertillon.

TOPAZE : Mais que dira M. Bertillon?

CASTEL-BÉNAC : Il viendra vous dire la même chose. Il viendra vous donner dix mille francs. Et après Bertillon, il y en aura d'autres. Avant que cet édicule ait fait le tour de l'arrondissement, nous aurons encaissé plus de trois cents billets. C'est une affaire sûre, pratique et même amusante. Nous pourrions faire cinq ou six cafés par an d'une façon régulière... Vous ne trouvez pas ça rigolo?

TOPAZE : Si, monsieur le conseiller.

CASTEL-BÉNAC : Eh bien, riez, riez!

TOPAZE : Est-il nécessaire que je reçoive M. Rebizoulet?

CASTEL-BÉNAC : C'est indispensable, mon cher!... Vous êtes ici depuis deux mois. Il faudrait pourtant que vous commenciez à jouer un rôle actif!... Il est certain que votre signature pourrait me suffire. Mais je trouve absurde de vous laisser inemployé... Je voudrais vous former, faire de vous un collaborateur très au courant, très adroit... Il y a beaucoup d'argent à gagner. Je serai peut-être député un jour. Je pourrais faire de grandes choses avec vous!...

TOPAZE : Vous êtes bien aimable, monsieur le conseiller.

CASTEL-BÉNAC : Ne me donnez plus ce titre. Appelez-moi patron.

TOPAZE : Oui, patron.

CASTEL-BÉNAC : Dites donc, il faudra téléphoner à l'hôtel de ville pour demander s'ils ne se décideront pas bientôt à envoyer le chèque des balayeuses.

TOPAZE : Bien, patron. Ils l'ont envoyé.

CASTEL-BÉNAC : Où est-il?

TOPAZE : Dans le tiroir.

Il ouvre le tiroir et en sort le chèque.

SUZY : Et vous ne pouviez pas le dire plus tôt?

CASTEL-BÉNAC : Mais il faut aller l'encaisser tout de suite!... Portez-le donc à la banque Jackson. Je vous ai fait ouvrir un compte. Versez-le à ce compte.

TOPAZE : Bien, patron. Tout de suite?

CASTEL-BÉNAC : Mais oui, tout de suite.

SUZY : La banque est à côté, au coin de l'avenue Wilson.

TOPAZE : Bien, patron. Alors, j'y vais?

CASTEL-BÉNAC : Mais bien sûr, vous y allez!

Topaze prend le chèque, toussote, met son chapeau et sort à contre-cœur.

·············· *Scène* III ··············

CASTEL-BÉNAC, SUZY

CASTEL-BÉNAC : Il est toujours aussi abruti.

SUZY : Il se fera. Tout à l'heure, il m'a fait la scène que nous attendions.

CASTEL-BÉNAC : Ah!

SUZY : Il avait compris depuis longtemps, et, au fond, il prend ça mieux que je ne l'espérais.

CASTEL-BÉNAC : Tu crois qu'on finira par en faire quelque chose?

SUZY : Je crois que maintenant il ira de mieux en mieux. Moi, ce n'est pas lui qui m'inquiète, c'est le petit Roger.

CASTEL-BÉNAC : Tu l'as vu?

SUZY : Ce matin.

CASTEL-BÉNAC : Qu'est-ce qu'il t'a dit?

SUZY : Il m'a parlé vaguement du danger qu'il y a à utiliser des gens maladroits dans des affaires délicates. Il m'a juré encore une fois que si nous avions des ennuis ils ne viendraient pas de lui. Tu n'es pas inquiet de ce côté-là?

CASTEL-BÉNAC : Oh! pas du tout. Il se donne des airs de maître chanteur, mais c'est par amour-propre.

SUZY : Tu ne crains pas qu'il n'envoie des échos aux journaux?

CASTEL-BÉNAC : Mais non. Aucun journal sérieux n'accepterait une ligne contre moi. Je connais à fond trop de canailleries pour qu'on me reproche mes irrégularités. J'ai mes fiches, moi.

SUZY : Mais tu ne crois pas qu'une lettre anonyme au procureur...?

CASTEL-BÉNAC : Allons, mon petit, quand on a mes relations...

SUZY : Oh! les relations! Tu sais, j'ai vu coffrer des gens qui tutoyaient des ministres.

CASTEL-BÉNAC : Oui, pendant la guerre... Mais maintenant, la vie a repris son cours normal.

Il sort.

· · · · · · · · · · · · · · · · *Scène* IV · · · · · · · · · · · · · · · · ·

SUZY, TOPAZE

Suzy reste seule un instant. Elle examine divers papiers sur le bureau. Soudain, on entend un galop effréné et un remue-ménage horrible. Topaze paraît

sur la porte des appartements de Suzy. Il est pâle, haletant, hagard. Il court à la fenêtre, il regarde la rue et il dit : Sauvé!
Il ferme à clef toutes les portes.

SUZY, *effrayée :* Qu'y a-t-il?

TOPAZE, *hors d'haleine, pâle, défait, se laisse tomber sur un fauteuil :* Grands dieux! Je m'y attendais, évidemment... Mais tout de même... Ah! ah! *(Il défaille presque. Il se verse un verre d'eau et le boit en tremblant.)*

SUZY : Topaze! Voyons, Topaze! Mais parlez donc!

TOPAZE, *presque à soi-même :* Ils m'ont suivi... C'était fatal... Ils me guettent depuis quinze jours... Comme je franchissais le seuil, le sbire en bras de chemise s'est avancé vers moi. Mais j'ai compris et, sans tourner la tête, j'ai fui... Alors, toute une meute s'est mise à ma poursuite : mais j'avais des ailes! J'ai fait deux fois le tour du pâté de maisons pour les dépister... Je me suis jeté dans votre corridor... et me voici... Sauvé, pour le moment, hélas!

SUZY : Eh bien, de pareilles extravagances ne peuvent plus durer. Tant que vous avez des visions ici même, ce n'est rien. Mais si votre imagination finit par attirer sur nous...

TOPAZE : Ah! vous doutez, madame! Tenez, voyez vous-même. *(Il est allé à la fenêtre, et il écarte le rideau avec des précautions de Peau-Rouge.)* Voyez, madame, il a repris sa place...

SUZY : Mais que voyez-vous donc?

TOPAZE : Ce gros homme en bras de chemise, en tablier bleu...

SUZY : Eh bien! C'est l'épicier du coin!

TOPAZE, *il referme le rideau :* Non, madame, non! Cet homme a trop l'air d'être l'épicier du coin pour qu'il soit vraiment l'épicier du coin.

SUZY : Mais alors, qui est-ce?

TOPAZE, *dans un souffle* : La police!

SUZY : Est-ce qu'il a l'air de vous surveiller?

TOPAZE : Justement, madame. Il ne tourne jamais son regard vers mes fenêtres. Jamais, comprenez-vous? Et il y a aussi un faux raccommodeur de parapluies. Quant aux chanteurs des rues, il en passe cinq ou six par jour. C'est clair, madame, c'est clair! Et puis, vous ne savez pas tout, parce que je vous ai caché jusqu'ici tous les symptômes de la catastrophe prochaine!

SUZY : S'il y a vraiment de pareils symptômes, pourquoi les avez-vous cachés?

TOPAZE : Parce que je jugeais que je n'avais pas le droit de vous avertir, et d'avertir Castel-Bénac. Voici, d'abord, madame, une lettre que j'ai reçue la semaine dernière.

SUZY, *elle lit* : « *Topaze, il y a de l'eau dans le gaz et l'œil de la police voit tout. Lâche cet os, sinon tu es fait comme un rat.* » Signé : « *Un ami.* » C'est une plaisanterie. Une lettre anonyme! Je vous défends de me faire peur avec des sottises de ce genre. C'est absurde.

TOPAZE : Et ceci ... Le journal *La Conscience publique*, numéro de ce matin :

Un scandale à l'hôtel de ville.

« *Le service d'information de* La Conscience publique *est sur la piste d'une très grave affaire de concussion. Des renseignements concordants qui nous ont été fournis, il résulte que :*

« *1° Un conseiller municipal, après avoir fait voter un crédit important pour l'achat de certains véhicules utilitaires, aurait fourni lui-même ces véhicules, à des prix exorbitants.*

« *2° Le prête-nom dans cette affaire serait un malheureux pion révoqué pour une affaire de mœurs.*

« *A bientôt des chiffres, des noms et l'exécution des coupables.* »

Ces lignes sont encadrées au crayon bleu.

SUZY : Vous en avez parlé à Régis?

TOPAZE : Non. Que son destin s'accomplisse! Moi, je ne fuirai pas devant le mien! Il y a autre chose encore, madame. Hier matin, devant la porte, en face de la plaque de cuivre, des gens se sont arrêtés... Un groupe s'est formé qui bientôt devint une foule... Ils ont crié, ils ont montré le poing.

SUZY : Vous les avez vus?

TOPAZE : Oui, madame, et quand je me suis approché de la fenêtre, alors les huées ont redoublé. Ce n'est pas une hallucination, madame! Je les ai vus, je les ai entendus. La société va frapper, il est temps de fuir.

SUZY : Il est absolument impossible...

TOPAZE : Il est impossible que le châtiment ne vienne pas. Ce dénouement était inévitable parce que la société est bien faite, parce que la faute entraîne inexorablement la punition. Si vous avez la chance de recommencer votre vie, souvenez-vous qu'il n'y a qu'une route, le droit chemin.

SUZY : Vous êtes un fou, et je suis bien bête de vous écouter. Quant aux gens que vous dites avoir entendus...

TOPAZE : Ils criaient : « Bravo, Topaze!... C'est indigne! Allez donc chercher la police!... »Et puis : « Hou! ha ha! Assez! »

Soudain dans la rue, les mêmes cris retentissent.

DES VOIX : Hoho! Il n'y a pas de quoi rire! C'est odieux! Mais allez donc chercher la police!

Suzy est stupéfaite. Elle s'approche de la fenêtre, elle recule, effrayée.

LA DACTYLO *ouvre la porte et entre, toute pâle :* Monsieur... c'est la police.

·················· *Scène* v ··················

TOPAZE, L'AGENT DE POLICE,
LA DACTYLO

*Un agent de police paraît. Topaze recule d'un pas,
l'agent fait un salut militaire.*

TOPAZE : Pouvez-vous m'accorder une minute?

L'AGENT : Oui, quoique ça soye un peu pressé. Entrez,
mademoiselle.

Entre la seconde dactylo, visiblement ivre.

TOPAZE : Qu'est-ce que c'est?

L'AGENT : C'est votre employée qui se met à la fenêtre
et qui appelle le monde. Ça a commencé hier matin.
Je passe comme d'habitude et je vois, à cette fenêtre,
une femme qui montre sa gorge, pas toute, rien qu'une
gorge. Pour ainsi dire, un nichon, sauf le respect que
je dois à Madame. Naturellement, plusieurs personnes
se sont arrêtées, et il y en a même qui ont applaudi,
principalement des hommes. Moi, je fais mon rapport
au commissaire. Il me dit : « Pas de gaffe, qué? C'est
le bureau de M. l'ingénieur Topaze, celui des balayeuses.
Cette femme, à la fenêtre, c'est peut-être de la publi-
cité américaine. » Mais voilà que, ce matin, je la vois
encore. Mais, cette fois, elle buvait une bouteille de
liqueur. Alors j'ai compris que c'est une femme qui boit
et je suis monté vous le dire.

TOPAZE : Je vous en remercie bien vivement.

SUZY, *elle rit* : Pouvez-vous vous charger de la reconduire?

L'AGENT : Avec plaisir, madame.

*Il frise sa moustache et regarde la dactylo de côté.
Suzy sort.*

TOPAZE *le rappelle* : Dites, monsieur l'agent, est-ce
que cette affaire aura des suites?

L'AGENT : Des suites?... Dites... parlez pas de malheur! Je suis marié, moi!...

Il sort au bras de la dactylo.

.... Scène VI ....

LE VÉNÉRABLE VIEILLARD, TOPAZE

Entre un vénérable vieillard. Il porte des favoris blancs comme un notaire de province. Toute sa personne est d'une éminente dignité. Il s'avance, l'air triste et noble, et salue Topaze cérémonieusement.

LE VÉNÉRABLE VIEILLARD : J'ai le plaisir de parler à M. Topaze?

TOPAZE : Oui, monsieur. En quoi puis-je vous servir?

LE VÉNÉRABLE VIEILLARD : En rien, monsieur. Ce n'est point pour vous demander votre aide mais pour vous offrir la mienne que je suis venu ici aujourd'hui.

Il s'assoit près du burau.

TOPAZE : Je vous remercie par avance, monsieur, mais j'aimerais assez savoir qui vous êtes.

LE VÉNÉRABLE VIEILLARD : Qui je suis? Un vieux philosophe qui a la faiblesse de s'intéresser aux autres. Quant à mon nom, il importe peu. Venons-en au fait. Vous avez dû lire, avant-hier, dans une feuille publique, un écho qui contient une allusion assez nette à certaines affaires que vous avez traitées.

TOPAZE : Oui, monsieur. Il m'a semblé, en effet, que le pion douteux pouvait bien s'appliquer à moi-même, quoique je n'aie pas été révoqué pour une affaire de mœurs.

LE VÉNÉRABLE VIEILLARD : Je l'admets, mais il faut bien accorder un peu de fantaisie aux journalistes... Il n'en est pas moins vrai que vous avez fourni à la ville des balayeuses dites « système Topaze ». Or, ces véhi-cules sortent d'une maison italienne et vous n'êtes,

111

en l'affaire, que le prête-nom de M. Castel-Bénac. Le directeur de ce journal a fait lui-même une enquête des plus sérieuses, et le numéro de demain doit révéler toute la combinaison à ses lecteurs. C'est ce numéro que je vous apporte. Voici.

> *Il tend un journal à Topaze. En première page, un titre énorme : « Le scandale Topaze ». Tandis que Topaze, effaré, le parcourt, le vénérable vieillard l'observe.*

LE VÉNÉRABLE VIEILLARD : Quatre colonnes de preuves irréfutables! Cinq cent mille exemplaires dans les rues demain matin.

TOPAZE : Avec ma photographie... Mais enfin, monsieur, pourquoi ces gens-là veulent-ils me perdre?

LE VÉNÉRABLE VIEILLARD, *dignement :* Monsieur, le premier devoir de la presse, c'est de veiller à la propreté morale et de dénoncer les abus. Je dirais même que c'est sa seule raison d'être. Enfin, vous voilà prévenu.

> *Il se lève.*

TOPAZE : Je vous remercie de votre démarche spontanée, quoique je n'en tire pas un grand avantage...

> *Un temps.*

LE VÉNÉRABLE VIEILLARD : Vous n'avez rien à me dire?

TOPAZE : Non, monsieur. Que dire?

LE VÉNÉRABLE VIEILLARD, *insinuant :* Je connais bien Vernickel, le directeur. Ne me chargerez-vous point d'une commission pour lui?

TOPAZE : Dites-lui qu'il a raison et qu'il fait son devoir.

LE VÉNÉRABLE VIEILLARD : Oh! voyons, monsieur, vous n'allez pas attendre que le scandale éclate? *(Topaze répond par un geste de lassitude et d'impuissance.)* Réfléchissez, monsieur, l'honneur est ce que nous avons de plus précieux et il vaut tous les sacrifices. Vernickel n'est pas une brute... Certain geste pourrait le toucher... Allons, monsieur, vous devinez ce qui vous reste à faire?

TOPAZE : Monsieur, je n'ose vous comprendre.

LE VÉNÉRABLE VIEILLARD, *souriant* : Osez, monsieur... osez...

TOPAZE : Et vous croyez que, si je fais ce geste, le numéro ne paraîtra pas?

LE VÉNÉRABLE VIEILLARD : Je vous donne ma parole d'honneur que c'est un enterrement de première classe.

TOPAZE, *perplexe* : De première classe?

LE VÉNÉRABLE VIEILLARD : Allons, un peu de bonne volonté. Exécutez-vous.

TOPAZE, *hagard* : Tout de suite?

LE VÉNÉRABLE VIEILLARD : Ma foi, le plus tôt sera le mieux.

TOPAZE, *même jeu* : Quoi? Devant vous?

LE VÉNÉRABLE VIEILLARD, *joyeux* : Tiens, mais oui, parbleu!

TOPAZE : Monsieur, vous tenez donc à voir râler un de vos semblables?

LE VÉNÉRABLE VIEILLARD, *débonnaire* : Mais qui vous oblige à râler? C'est ce que je leur dis toujours. Pourquoi râler, puisque vous finirez par y passer comme les autres? ... Mais non, ils râlent toujours, on dirait que ça les soulage!

TOPAZE, *indigné* : Mais savez-vous bien, monsieur, que ce sang-froid ne vous fait pas honneur? Oui, j'ai commis une faute grave, je le reconnais, je l'avoue. Oui, j'ai mérité un châtiment... Mais, cependant...

Castel-Bénac vient d'entrer. Il regarde Topaze, puis le vieux monsieur, puis Topaze.

· · · · · · · · · · · · · · · · ·   *Scène* VII   · · · · · · · · · · · · · · · ·

CASTEL-BÉNAC,
LE VÉNÉRABLE VIEILLARD, TOPAZE

CASTEL-BÉNAC : Qu'est-ce que c'est?

TOPAZE : Cet homme a surpris nos secrets, et il exige que je me tue devant ses yeux.

CASTEL-BÉNAC : Sans blague?

LE VÉNÉRABLE VIEILLARD : Mais non, je voulais...

CASTEL-BÉNAC : Combien?

LE VÉNÉRABLE VIEILLARD : Vingt-cinq mille.

Il donne à Castel-Bénac le numéro du journal.

TOPAZE : Comment, monsieur...

CASTEL-BÉNAC : Taisez-vous, asseyez-vous, cher ami... *(Il parcourt le journal.)* Bien. Est-ce que Vernickel sait que je suis dans le coup?

LE VÉNÉRABLE VIEILLARD : Oui, mais il m'avait dit de m'adresser à M. Topaze.

CASTEL-BÉNAC : Il n'est pas bête. *(Il prend le téléphone.)* Allô, mademoiselle... Demandez-moi Vernickel à *La Conscience publique.* Dites donc, vénérable vieillard, ce n'est pas la première fois que vous faites du chantage?

LE VÉNÉRABLE VIEILLARD, *froissé :* Oh! monsieur... Ai-je l'air d'un débutant? J'ai commencé avec Panama.

CASTEL-BÉNAC : Ça, c'était du beau travail.

LE VÉNÉRABLE VIEILLARD : Ah! oui... Des députés, des ministres, pensez donc... Des gens très bien... J'en ai fait une quarantaine, et sans entendre seulement un mot grossier... Et pourtant, à cette époque-là, je n'avais pas encore le physique...

CASTEL-BÉNAC : Allô? Le physique, ce n'est rien, mais c'est le culot!

LE VÉNÉRABLE VIEILLARD : Eh bien, monsieur, ne croyez pas ça. Le physique, voyez-vous...

CASTEL-BÉNAC, *au téléphone :* Bonjour, mon cher Vernickel... Pas mal, mon vieux, et vous-même? Dites donc, il y a chez moi un vénérable vieillard qui vient de votre part. Je le trouve un peu cher. Oui, une petite réduction. Non, encore trop cher... Ce que je donne? Eh bien, je donne cinq francs, oui, cent sous. Bon. Eh bien, mon cher, vous avez tort de menacer un vieil ami. Attendez une seconde... *(A Topaze.)* Le dossier... *(Topaze lui passe le dossier.)* Une petite histoire... *(Il lit sur une fiche.)* Vous avez peut-être connu un apprenti imprimeur qui s'enfuit de Melun en novembre 1894 en emportant la caisse de son patron? Il fut condamné le 2 janvier 1898 par le tribunal correctionnel de Melun à treize mois de prison... Très curieux, hein? Ah! bon!... bon!... Un simple malentendu, évidemment... Très vieille amitié, mais oui. Et votre petit Victor va bien? Oui, c'est à cet âge-là qu'ils sont le plus intéressants... Au revoir, cher ami... A bientôt!... *(Au vénérable vieillard.)* C'est réglé.

LE VÉNÉRABLE VIEILLARD, *souriant :* Et fort bien réglé, monsieur, mes compliments... Je n'ai plus qu'à me retirer.

CASTEL-BÉNAC : Aucun doute là-dessus.

LE VÉNÉRABLE VIEILLARD : Mais je voudrais vous demander une faveur...

CASTEL-BÉNAC : Laquelle?

LE VÉNÉRABLE VIEILLARD : Voulez-vous me permettre de copier la suite de la fiche de Vernickel?

CASTEL-BÉNAC : Vénérable vieillard, je vous trouve un peu culotté!

LE VÉNÉRABLE VIEILLARD : Dans ce cas, n'en parlons plus... Messieurs...

CASTEL-BÉNAC : Ah! écoutez. Un mot. *(Il l'entraîne dans un coin et lui dit à demi-voix.)* Vous me feriez plaisir de sortir à reculons.

LE VÉNÉRABLE VIEILLARD : Pourquoi?

CASTEL-BÉNAC : Parce que si vous me tournez le dos, je ne pourrai pas m'empêcher de vous botter le derrière.

LE VÉNÉRABLE VIEILLARD : Ah! Fort bien, fort bien...

Il sort à reculons et, sur la porte, il s'enfuit.

·············· *Scène* VIII ················

CASTEL-BÉNAC, TOPAZE

CASTEL-BÉNAC : Et voilà!

TOPAZE : Et voilà!

CASTEL-BÉNAC : Toutes les fois que vous recevrez un de ces oiseaux-là, dites-lui de revenir quand je serai là... A tout à l'heure, mon cher Topaze...

Il sort par la porte qui conduit chez Suzy. Topaze reste seul.

·············· *Scène* IX ················

MUCHE, TOPAZE

Paraît M. Muche.

MUCHE, *très affectueux* : Bonjour, mon cher ami... Je suis ravi de vous voir, je suis absolument enchanté...

TOPAZE : Bonjour, monsieur le directeur...

MUCHE : J'ai essayé plusieurs fois de vous rendre visite, mais vous étiez toujours absent... Je le comprends fort bien, d'ailleurs. Vous êtes maintenant dans les affaires... Et quelles affaires!

TOPAZE : Oui... quelles affaires... On vous en a parlé?

MUCHE : Naturellement... Et j'ai tous les matins, vers huit heures, une émotion bien douce... Par la fenêtre de mon bureau, je vois passer trois balayeuses...

Elles suivent trois chemins parallèles, elles avancent, à la même vitesse, sans jamais se rejoindre, ni se dépasser... Et les trois brosses tournent avec un doux murmure, et sur les trois capots étincelle votre nom : « Système Topaze ». Eh bien, mon cher ami, quand elles passent, je salue.

TOPAZE : Monsieur le directeur, il n'y a pas de quoi saluer.

MUCHE : Oh! Je sais que vous êtes modeste, mais vous ne pouvez défendre à vos amis d'être fiers pour vous; si vous saviez combien souvent nous parlons de vous... Hier, en plein conseil de discipline, quand j'ai annoncé à vos collègues que j'avais résolu de vous offrir la présidence de la distribution des prix, ils ont accueilli la nouvelle avec une joie qui vous eût touché, et ils m'ont pressé de venir vous arracher votre consentement.

TOPAZE : Moi, président...

MUCHE : Mais oui... Vous feriez un discours charmant, avec une petite pointe d'émotion, du moins, je l'espère...

TOPAZE, *très ému* : Mais non, c'est impossible... Et d'ailleurs, d'ici là... Monsieur le directeur, il y a eu entre nous un grave malentendu... mais je vous sais un homme intègre, et je vous dois la vérité. Donnez-moi votre parole de ne jamais répéter ce que je vais vous dire.

MUCHE : Si vous m'estimez assez pour m'honorer d'une confidence, elle restera ensevelie au plus profond de moi-même, je vous en donne ma parole d'honneur.

TOPAZE : Monsieur le directeur, je ne suis plus un honnête homme.

MUCHE : Allons donc!...

TOPAZE : Je ne suis plus que le prête-nom d'un prévaricateur.

MUCHE : Allons donc... Allons donc...

TOPAZE : Mais, puisque je vous le dis...

MUCHE : On dit tant de choses, mon cher ami, vous cédez à ce goût de paradoxe qui d'ailleurs a toujours fait le charme de votre conversation. Cependant, pour entrer dans votre plaisanterie, c'est bien de Castel-Bénac que vous êtes l'homme de paille?

TOPAZE : Précisément...

MUCHE : Dans ce cas, je vous dirai, pour le plaisir de faire un bon mot, que vous êtes l'homme de paille d'un homme d'acier... *(Il rit.)* C'est-à-dire que vous ne courez aucun danger...

TOPAZE : Il est bien facile de voir que je n'ai pas inventé les balayeuses. Beaucoup de gens doivent le comprendre et le dire...

MUCHE : Eh bien! qu'ils viennent me le dire à moi. Et je leur répondrai que j'ai vu, de mes yeux vu, les esquisses et les plans que vous traciez sans cesse sur le tableau noir de votre classe.

TOPAZE : Vous les avez vus?

MUCHE : J'en suis à peu près certain. Et en tout cas, je pourrais en témoigner. Où et quand vous voudrez. Vous gagnez beaucoup d'argent?

TOPAZE : Trop.

MUCHE : Ah! la belle réponse... « Trop »... Vous êtes vraiment un homme extraordinaire, mon cher ami... Je le savais d'ailleurs depuis bien longtemps... Que de fois n'ai-je pas dit à la table de famille : « Ce garçon a trop d'envergure, il finira par nous quitter... » Et je disais à Mme Muche : « S'il veut partir, je le laisserai libre! » Et c'est par pure amitié, mon cher Topaze, que le jour où vous m'avez demandé votre liberté, je n'ai pas essayé de me cramponner à vous. Et maintenant, mon cher ami, je voudrais vous entretenir d'un sujet qui me tient à cœur. Je suis père, mon cher Topaze. Et père malheureux... Combien malheureux!...

TOPAZE : Mlle Muche est malade?

MUCHE : Hélas!... Son sort, mon ami, vous intéresse encore? Elle est frappée d'un mal qui ne pardonne pas...

TOPAZE : Les poumons?

MUCHE : Non, le cœur.

TOPAZE : Il faut voir un spécialiste.

MUCHE : Il est devant moi. Oui. Hélas! oui... à l'époque récente où vous étiez l'honneur de la pension Muche, vous passiez le long des couloirs, pensif, perdu dans des spéculations scientifiques qui vous empêchaient de regarder à vos pieds et d'y voir le cœur de cette pauvre enfant...

TOPAZE : Le cœur de votre fille?

MUCHE : L'amour l'avait touchée de son aile, et moi, père aveugle, je n'avais pas compris... Mais, depuis votre départ, son attitude me brise le cœur. Elle rêve de longues heures auprès de la cheminée... Elle s'est lentement amaigrie... Et puis, hier, elle m'a tout dit... Voilà la confession d'un père.

Il essuie une larme.

TOPAZE, *il éclate tout à coup* : Ah! non, non, tout de même...

MUCHE : Ah!... Pas de mots irréparables... Elle est là, dans l'antichambre, et elle attend avec une angoisse...

TOPAZE : Mais je vous ai pourtant demandé la main de votre fille et, pour toute réponse, vous m'avez mis à la porte.

MUCHE : Vous m'avez demandé la main de ma fille?

TOPAZE : Oui.

MUCHE : Je vous l'accorde.

Il se lève comme un ressort et sort en courant.

TOPAZE : Monsieur Muche...

.... **Scène x** ....

ERNESTINE, TOPAZE, LA DACTYLO

Ernestine a les cheveux coupés à la garçonne. Elle est fardée, poudrée, parée pour s'offrir à un homme riche. Elle entre, les yeux baissés, le sein palpitant.

ERNESTINE : Bonjour.

TOPAZE : Bonjour, mademoiselle.

Elle le regarde, elle sourit, elle soupire, elle s'assoit.

ERNESTINE : Je suis bien contente! Je savais bien que tout finirait par s'arranger.

TOPAZE : Puis-je vous demander à quel événement vous faites allusion?

ERNESTINE : Papa ne vous a pas dit qu'il consent?

TOPAZE : A quoi?

ERNESTINE : A ce que vous demandez... Et moi, je ne devrais pas dire oui si vite, mais je ne veux pas vous inquiéter. C'est oui.

TOPAZE : Mademoiselle, je vous demande en grâce de ne pas vous offenser des paroles que je vais prononcer...

ERNESTINE : Désormais, vous pouvez tout me dire sans m'offenser...

TOPAZE : Il est exact qu'un jour j'ai demandé votre main à votre père. Il refusa. Depuis, je n'ai eu ni l'occasion ni le désir de renouveler cette démarche.

ERNESTINE : Je ne comprends pas...

TOPAZE : Faites un petit effort, mademoiselle. Je viens de vous dire que je ne songe plus à me marier.

Elle s'élance vers lui.

ERNESTINE : Henri... Henri...

TOPAZE : Je m'appelle Albert.

ERNESTINE : Ah!... *(Elle s'évanouit dans ses bras. Topaze paraît d'abord assez embarrassé, puis il la dépose dans un fauteuil. Elle se cramponne à lui comme instinctivement en murmurant.)* Albert, laissez-moi. Nous sommes seuls, n'en abusez pas.

Elle ferme les yeux et d'un geste machinal cherche à ouvrir son corsage.

TOPAZE : Mademoiselle, la comédie que vous me donnez est inutile. Je ne suis pas un idiot. Rajustez-vous, je vous en prie...

A ces mots, elle se lève brusquement. On frappe à la porte.

TOPAZE : Entrez. *(Paraît la dactylo. Elle tend une carte à Topaze.)* Bien. Attendez un instant. Restez là, mademoiselle. Mademoiselle Muche, mes affaires ne me laissent pas le temps de continuer en ce moment cette conversation... Nous pourrons la reprendre plus tard, un autre jour...

ERNESTINE : Demain. Où?

TOPAZE : C'est que... précisément, demain, je serai forcé de rester ici.

ERNESTINE : Je viendrai ici, vous me donnerez la clef et j'irai vous attendre chez vous... A demain...

TOPAZE, *à la dactylo :* Voulez-vous reconduire Mademoiselle?

ERNESTINE : Vous me chassez? Goujat!

Elle le gifle.

· · · · · · · · · · · · · · · Scène XI · · · · · · · · · · · · · · · ·

Entre Castel-Bénac suivi de Suzy.

CASTEL-BÉNAC, *il voit la gifle et se tourne vers Suzy :* Vous voyez bien, chère amie, ce n'est plus possible...

TOPAZE : Permettez-moi de vous expliquer...

CASTEL-BÉNAC : Non, mon cher, ne m'expliquez rien. Madame vient de me raconter ce qui s'est passé ici en mon absence, et vraiment, je crois qu'il n'y a rien de mieux à faire que de nous séparer. Tenez, voilà d'abord un petit cadeau d'adieu.

Il lui tend un petit écrin.

TOPAZE : Qu'est-ce que c'est?

SUZY : Les palmes que Régis avait demandées pour vous.

TOPAZE, *très ému* : Mais... je les ai officiellement?

CASTEL-BÉNAC : Tout ce qu'il y a de plus officiel.

SUZY : Vous verrez votre nom demain dans la promotion.

Topaze a ouvert l'écrin et il regarde avec stupeur des palmes académiques. Il paraît profondément absorbé.

CASTEL-BÉNAC : Et maintenant, qu'est-ce que vous diriez d'un gentil petit poste de professeur, au collège d'Oran, par exemple? Trois mois de vacances et un traitement honorable, avec le quart colonial en plus. Hein? Ça vous va?

TOPAZE, *doucement* : Non, patron... Non, merci.

CASTEL-BÉNAC : Ah? Est-ce que vous voudriez par hasard une petite indemnité?

TOPAZE : Non, patron... Je ne veux pas une petite indemnité.

CASTEL-BÉNAC : Une grosse indemnité, alors? *(A Suzy.)* Oh! mais, dites donc, il est peut-être moins bête qu'il n'en a l'air! Laissez-moi vous dire, mon garçon, que votre position vis-à-vis de moi n'est pas aussi forte que vous croyez. Si je voulais vous mettre dehors nu et cru, je ne me gênerais pas le moins du monde. Ne vous imaginez pas que vous pouvez me faire quelque sale histoire en allant raconter ce que vous savez. Vous y seriez pris le premier, mon ami. Compris, hein? Pas de chantage avec moi. Dites carrément ce que vous voulez, et je vous le donnerai par amitié. Allez-y.

TOPAZE : Je veux rester ici.

CASTEL-BÉNAC : Pour quoi faire?

TOPAZE : Mes preuves.

CASTEL-BÉNAC : Il me semble qu'elles sont déjà faites!

TOPAZE : Non, patron. Jusqu'ici j'ignorais absolument bien des choses que j'entrevois.

SUZY : Lesquelles?

TOPAZE : La vie n'est peut-être pas ce que je croyais. C'est peut-être vous qui avez raison, après tout...

La dactylo, qui attendait depuis le début de cette scène, fait un pas en avant.

LA DACTYLO : Alors, qu'est-ce que je lui dis au monsieur qui attend?

CASTEL-BÉNAC : Quel monsieur? *(La dactylo lui tend la carte, il lit.)* Rebizoulet?

TOPAZE : Voulez-vous que j'essaye de le recevoir?

CASTEL-BÉNAC : A quoi bon? Pour gâcher encore cette affaire?

SUZY : Régis, faites-lui crédit encore une fois!

CASTEL-BÉNAC : C'est qu'il est dangereux, chère amie.

SUZY : Je vous le demande.

CASTEL-BÉNAC : Allons, et mettez donc vos palmes pour vous donner plus d'assurance.

SUZY : Donnez...

Elle prend le petit ruban violet, et l'attache à la boutonnière de Topaze.

CASTEL-BÉNAC : Vous me téléphonerez le résultat à huit heures chez Maxim's. Venez, chère amie...

SUZY : C'est vrai. Le procureur doit nous attendre!

TOPAZE, *effrayé :* Le procureur? Pour quoi faire?

CASTEL-BÉNAC : Mais pour dîner, parbleu!

Ils sortent.

TOPAZE, *resté seul, réfléchit un moment. Puis il ouvre de nouveau l'écrin, en tire le papier qu'il déplie et lit.* Le ministre de l'Instruction publique etc., à M. Albert Topaze, ingénieur, pour services exceptionnels. *Il secoue la tête, puis se tourne, décidé, vers sa dactylo.* Faites entrer M. Rebizoulet!

Elle sort. Il s'assoit derrière son bureau et attend.

Rideau

Acte IV

Même décor. Il est quatre heures de l'après-midi.

.... Scène I ....

SUZY, CASTEL-BÉNAC

Suzy et Castel-Bénac sont assis dans des fauteuils et attendent, la mine assez grise. Ils fument tous deux. Soudain Castel-Bénac se lève et tire sa montre.

CASTEL-BÉNAC : Il a tout de même du toupet! Il est quatre heures et demie et je lui avais dit que je viendrais à deux heures.

SUZY : S'il est retenu quelque part, il pourrait au moins téléphoner.

CASTEL-BÉNAC : Ma chère amie, en ce qui vous concerne, il a une excuse. Il ne se doute pas que vous devez assister à notre règlement de comptes mensuel.

SUZY : Comment? Il travaille pour nous depuis huit mois, et j'ai été présente toutes les fois.

CASTEL-BÉNAC : Oui, sans doute, mais vous étiez là en curieuse, et comme par hasard... Il sait bien que votre présence n'est pas nécessaire.

SUZY : Au fond, c'est vrai... Il vaudrait peut-être mieux que je m'en aille. *(Elle se lève.)*

CASTEL-BÉNAC, *soulagé :* Je n'osais pas vous le dire, mais je le souhaitais. Il me déplairait que vous ayez l'air d'avoir attendu ce monsieur.

SUZY : Vous avez raison. *(Elle se dirige vers la porte. Soudain elle se retourne, avec un rire moqueur.)* Vous seriez bien content si je sortais? Ah non! Pas si bête, mon cher. *(Elle vient se rasseoir.)*

CASTEL-BÉNAC, *surpris :* Comment, pas si bête?

SUZY : Vous espériez peut-être me cacher l'affaire du Maroc?

CASTEL-BÉNAC, *stupéfait :* Quelle affaire du Maroc?

SUZY : Vous faites une drôle de tête... Vous niez!

CASTEL-BÉNAC, *sincère :* Je ne sais pas de quoi vous parlez.

SUZY : Cette mauvaise foi me prouve que vous étiez décidé à garder pour vous ma commission... Eh bien! ça, mon cher, je ne l'admets pas.

CASTEL-BÉNAC, *ahuri :* Ma chérie, je te jure que je ne comprends pas.

SUZY : Vous ignorez que vous faites une affaire de concessions de terrains au Maroc? Des terrains qui contiennent des carrières de marbre, des gisements de plomb et des forêts de chênes-lièges?

CASTEL-BÉNAC : Première nouvelle. Qui vous a dit ça?

SUZY : Il serait difficile de l'ignorer, attendu que Marescot, le député, est ici tous les matins, avec un petit attaché du ministère des Colonies... *(Elle montre une carte sur le mur.)* Et si vous croyez que je n'ai pas vu cette carte, avec un carré au crayon bleu, c'est que vous me prenez vraiment pour une sotte.

CASTEL-BÉNAC, *il s'approche de la carte et la regarde avec un sincère étonnement :* Cette carte? Je ne l'avais même pas remarquée.

SUZY, *nerveuse :* Ah... Rien n'est agaçant comme cette hypocrisie!

CASTEL-BÉNAC, *irrité :* Ma chère, rien n'est agaçant comme ces reproches à propos d'une histoire dont je ne connais pas le premier mot!

SUZY : Alors, voulez-vous me dire pourquoi il vous déplaît que j'assiste à ce règlement de comptes?

CASTEL-BÉNAC : C'est tout simple. Topaze est devenu assez fier depuis qu'il a réussi quelques affaires et il se prend un peu trop au sérieux. Quand je suis seul avec lui, il m'est possible de tolérer une certaine liberté de langage... Tandis que votre présence peut exciter son amour-propre... Il dépasserait peut-être les bornes de ma patience et me réduirait probablement à le mettre à la porte, ce qui serait bien triste pour ce garçon.

SUZY, *ironique :* En somme, vous avez pitié de lui?

CASTEL-BÉNAC : Peut-être.

SUZY, *bien en face :* Vous en avez peur!

CASTEL-BÉNAC : Chère amie, songez à ce que vous dites. Moi, j'aurais peur de mon employé?

SUZY : En tout cas, vous venez d'avouer que votre employé n'a pas peur de vous.

CASTEL-BÉNAC : Il n'a plus peur de moi. C'est un fait. *(Brusquement agressif.)* Et j'ajoute que c'est par votre faute. Absolument.

SUZY : Par ma faute?

CASTEL-BÉNAC : Sous prétexte de le rassurer, de le guider, vous êtes venue ici trop souvent... Vous avez poussé l'imprudence jusqu'à lui donner des conseils sur ses costumes...

SUZY : Dans notre intérêt. Un directeur d'agence aussi mal vêtu était suspect.

CASTEL-BÉNAC : Maintenant, si j'ai besoin de lui, le matin, on me répond : « Monsieur est chez son tailleur » ou « Monsieur est à la piscine ». Et encore ceci ne serait que ridicule, mais vous avez fait pire...

SUZY : Régis!

CASTEL-BÉNAC : Oui, vous avez fait pire.

SUZY : Et qu'ai-je donc fait?

CASTEL-BÉNAC : Vous lui avez appris à MANGER.

SUZY : Parce que je l'ai invité quelquefois?

CASTEL-BÉNAC : Deux fois par semaine en moyenne. Vous lui avez révélé les grandes nourritures, et maintenant, parbleu, il a l'intelligence et l'énergie d'un homme bien nourri. C'est exactement l'histoire du chimpanzé de ma mère. Quand elle l'a acheté, il était maigre, il puait la misère, mais je n'ai jamais vu un singe aussi affectueux. On lui a donné des noix de coco, on l'a gavé de bananes, il est devenu fort comme un Turc, il a cassé la gueule à la bonne. Il a fallu appeler les pompiers... *(Il tire de nouveau sa montre.)* Oui, mais cette fois-ci je vais lui faire sentir les rênes. *(Suzy le regarde d'un drôle d'air. Il traverse encore une fois le bureau, les mains derrière le dos et il a un subit accès de colère.)* Qu'est-ce que c'est que ce miteux qui se permet... Un misérable pion, c'est de l'inconscience... Oh! mais... Oh! mais!...

Entre Topaze brusquement.

.... *Scène* II ....

LES MÊMES, plus TOPAZE

Il porte un costume du bon faiseur. Il a des lunettes d'écaille, sa face est entièrement rasée. Il marche d'un pas décidé.

CASTEL-BÉNAC, *sec et autoritaire* : J'ai le regret de vous dire qu'il est quatre heures trois quarts. *(Topaze le regarde d'un air absent, passe devant lui, salue Suzy et va s'asseoir au bureau. Il ouvre un tiroir, prend un carnet.)* Nous vous attendons depuis deux heures. Il est tout de même paradoxal...

TOPAZE, *glacé* : Vous permettez? Une seconde. *(Il note quelque chose et remet le carnet dans le tiroir. Suzy et Castel-Bénac se regardent, un peu ahuris. Castel fait à Suzy un signe qui veut dire : « Tu vas voir tout à l'heure. »)* C'est fait. Eh bien, je suis charmé de vous voir. De quoi s'agit-il?

SUZY : Du règlement de comptes pour le mois de septembre, puisque nous sommes le 4 octobre.

TOPAZE, *se lève* : Chère madame, vous êtes la grâce et le sourire, tandis que des règlements de comptes sont des choses sèches et dures. Je vous supplie de ne point faire entendre ici une voix si pure qu'elle rendrait ridicules les pauvres chiffres dont nous allons discuter. *(Il lui baise la main et la conduit avec beaucoup de bonne grâce jusqu'à un fauteuil au premier plan, à gauche. Il la fait asseoir et lui tend un journal illustré.)* Voici le dernier numéro de *La Mode française...* Car j'ai suivi votre conseil, je me suis abonné. *(Il la laisse ahurie et se tourne vers Castel.)* Qu'y a-t-il pour votre service? Des chiffres?

CASTEL-BÉNAC : Oui, venons-en aux chiffres. Je vous dirai ensuite ma façon de penser.

TOPAZE : Je serai charmé de la connaître. *(Il prend un registre.)* Je vous dois, pour le mois de septembre, une somme globale de soixante-cinq mille trois cent quarante-sept francs.

Il lui remet un papier. Castel-Bénac compare avec un carnet qu'il a tiré de sa poche.

CASTEL-BÉNAC : Ce chiffre concorde avec les miens.

Il examine le papier. Suzy lit par-dessus son épaule.

SUZY : L'affaire du Maroc est-elle comprise?

CASTEL-BÉNAC : Oui, qu'est-ce que c'est que cette affaire du Maroc?

TOPAZE, *froid* : Personnelle.

CASTEL-BÉNAC : Comment, personnelle?

TOPAZE : Cela veut dire qu'elle ne vous regarde pas.

SUZY : Monsieur Topaze, que signifie cette réponse?

TOPAZE : Elle me paraît assez claire.

CASTEL-BÉNAC, *qui commence à suffoquer :* Comment!

TOPAZE : Laissez-moi parler, je vous prie. Asseyez-vous. *(Castel hésite un instant, puis il s'assoit. Cependant Topaze a tiré de sa poche un étui d'argent. Il le tend à Castel-Bénac.)* Cigarette?...

CASTEL-BÉNAC : Merci.

TOPAZE *allume sa cigarette, puis, très calme et très familier :* Mon cher ami, je veux vous soumettre un petit calcul. Cette agence vous a rapporté en six mois sept cent quatre-vingt-cinq mille francs de bénéfice net. Or le bureau vous a coûté dix mille francs pour le bail, vingt mille pour l'ameublement, en tout trente mille. Comparez un instant ces deux nombres : sept cent quatre-vingt-cinq mille et trente mille.

CASTEL-BÉNAC : Je ne vois pas l'intérêt de cette comparaison.

TOPAZE : Il est très grand. Cette comparaison prouve que vous avez fait une excellente affaire, même si elle s'arrêtait aujourd'hui.

CASTEL-BÉNAC : Pourquoi s'arrêterait-elle?...

TOPAZE, *souriant :* Parce que j'ai l'intention de garder ce bureau pour travailler à mon compte. Désormais, cette agence m'appartient, les bénéfices qu'elle produit sont à moi. S'il m'arrive encore de traiter des affaires avec vous, je veux bien vous abandonner une commission de six pour cent... C'est tout.

Castel-Bénac et Suzy se regardent.

CASTEL-BÉNAC, *avec effort :* Je vous l'avais toujours dit. Notre ami Topaze est un humoriste.

TOPAZE : Tant mieux si vous trouvez cela drôle. Je n'osais pas l'espérer.

SUZY : Monsieur Topaze, parlez-vous sérieusement?

TOPAZE : Oui, madame. D'ailleurs, en affaires, je ne plaisante jamais.

CASTEL-BÉNAC : Vous vous croyez propriétaire de l'agence?

TOPAZE : Je le suis. L'agence porte mon nom, le bail est à mon nom, je suis légalement chez moi...

CASTEL-BÉNAC : Mais ce serait un simple vol.

TOPAZE : Adressez-vous aux tribunaux.

SUZY, *partagée entre l'indignation, l'étonnement et l'admiration :* Oh!...

CASTEL-BÉNAC, *il éclate :* J'ai vu bien des crapules, je n'en ai jamais vu d'aussi froidement cyniques.

TOPAZE : Allons, pas de flatterie, ça ne prend pas.

SUZY : Régis, allez-vous supporter... Dis quelque chose, voyons.

CASTEL-BÉNAC *dégrafe son col :* Oh! nom de Dieu...

TOPAZE : Madame, mettez-vous à sa place! C'est tout ce qu'il peut dire.

CASTEL-BÉNAC, *après un tout petit temps :* Topaze, il y a certainement un malentendu.

SUZY : Vous êtes incapable de faire une chose pareille...

TOPAZE : Vous niez l'évidence.

CASTEL-BÉNAC : Allons, réfléchissez. Sans moi, vous seriez encore à la pension Muche... C'est moi qui vous ai tout appris.

TOPAZE : Mais vous avez touché sept cent quatre-vingt-cinq mille francs. Jamais un élève ne m'a rapporté ça...

CASTEL-BÉNAC : Non, non, je ne veux pas le croire. Vous êtes un honnête homme. *(Topaze rit.)* Vous pour qui j'avais de l'estime... Et même de l'affection... Oui, de l'affection... Penser que vous me faites un coup pareil, pour une sale question d'argent... J'en aurais trop de peine, et vous aussi... N'est-ce pas, Suzy? Dites-lui qu'il en aura de la peine... qu'il le regrettera... *(Elle regarde Castel-Bénac avec mépris. Dans un grand élan.)* Tenez, je vous donne dix pour cent.

TOPAZE : Mais non, mais non... Voyez-vous, mon cher Régis, je vous ai vu à l'œuvre et je me suis permis de vous juger. Vous n'êtes pas intéressant. Vous êtes un escroc, oui, je vous l'accorde, mais de petite race. Vos coups n'ont aucune envergure. Quinze balayeuses, trente plaques d'égout, dix douzaines de crachoirs émaillés... Peuh... Le jeu n'en vaut pas la chandelle. Quant aux spéculations comme celles de la pissotière à roulettes, ça, mon cher, ce ne sont pas des affaires : c'est de la poésie toute pure. Non, vous n'êtes qu'un bricoleur, ne sortez pas de la politique.

CASTEL-BÉNAC, *à Suzy :* Et bien, ça y est. C'est le coup du chimpanzé.

SUZY : Voilà tout ce que vous trouvez à dire?

CASTEL-BÉNAC : Que peut-on dire à un bandit? *(A Topaze.)* Vous êtes un bandit.

SUZY *hausse les épaules :* Allez, vous n'êtes pas un homme.

CASTEL-BÉNAC *se tourne violemment vers Suzy, avec un grand courage :* Oh! vous, taisez-vous, je vous prie... Car je me demande si vous n'êtes pas sa complice.

SUZY : Vous savez bien que ce n'est pas vrai.

CASTEL-BÉNAC : Où aurait-il pris cette audace si vous ne l'aviez pas conseillé? *(Topaze s'est remis à son bureau. Il écrit paisiblement ouvre son courrier, etc.)* Oui, avouez-le, c'est vous qui faites le coup.

SUZY : Croyez-en ce que vous voudrez.

CASTEL-BÉNAC : Je n'ai pas besoin de votre permission pour croire ce que je vois. Il y a longtemps que je suis fixé.

SUZY : Moi aussi.

CASTEL-BÉNAC : Mais il ne faut pas vous imaginer que ça va se passer comme ça. Je ne vous ai donc pas assez donné d'argent depuis deux ans?

SUZY : Voilà le comble de la vulgarité.

CASTEL-BÉNAC, *il ricane* : La vulgarité!... Ah! là là!... La vulgarité!...

TOPAZE, *froid* : Dites donc, si vous avez envie de crier, allez faire ça ailleurs que chez moi...

CASTEL-BÉNAC *feint de n'avoir pas entendu; cependant il baisse la voix* : Chère madame, quand je vous ai connue, vous portiez du lapin.

SUZY : Grossier personnage...

CASTEL-BÉNAC : Elle taillait des chapeaux dans les vieux feutres de son père...

TOPAZE : Monsieur, je vous défends de parler sur ce ton à une femme. Allez-vous-en.

CASTEL-BÉNAC : Soit. Rira bien qui rira le dernier. Vous aurez de mes nouvelles.

TOPAZE : Mais non, mais non.

CASTEL-BÉNAC : Je vais de ce pas chez le procureur...

TOPAZE : Ça m'étonnerait.

CASTEL-BÉNAC : Quant à vous, madame, vous m'avez trop longtemps ridiculisé.

SUZY : C'est vrai.

CASTEL-BÉNAC : J'entends que désormais votre attitude change. Je serai chez vous tout à l'heure pour vous dire ce que j'ai résolu.

SUZY : Vous avez résolu de parler grossièrement à une femme parce que vous avez peur d'un homme. Je vous trouve profondément méprisable.

CASTEL-BÉNAC : Madame...

TOPAZE, *il se lève et s'approche de Castel-Bénac* : Sortez, monsieur.

CASTEL-BÉNAC : Croyez-vous par hasard...

TOPAZE : Allons, sortez.

CASTEL-BÉNAC : Soit. Je pourrais abuser de ma force physique...

TOPAZE : Ne vous gênez pas.

CASTEL-BÉNAC : Mais je ne suis pas un portefaix.

SUZY : C'est vous qui le dites.

CASTEL-BÉNAC : A l'heure que j'aurai choisie, je vous ferai payer vos fanfaronnades. Pour le moment, j'aime mieux en rire. *(Il rit, la figure contractée.)* Ha... ha...ha... ha... ha... ha...

Il sort.

················· *Scène* III ·················

SUZY, TOPAZE

TOPAZE : Il s'est montré au naturel. Mais il ne tardera guère à vous faire de plates excuses, et vous les accepterez en souriant pour conserver votre honorable situation.

SUZY : Je vous trouve bien impertinent, mon cher ami. Trop peut-être. *(Elle s'assoit.)* J'ai l'impression que vous avez absolument perdu la tête. Croyez-vous que votre coup d'État soit une preuve d'intelligence?

TOPAZE : Non. D'autorité tout au plus.

SUZY : Ces quelques secondes d'autorité vous coûteront cher.

TOPAZE : Pourquoi?

SUZY : Cette agence par elle-même ne vaut rien. Elle rapportait de l'argent parce que derrière cette façade il y avait Régis.

Acte IV

TOPAZE : Désormais, il y aura moi.

SUZY : Vous... *(Elle rit.)* Que croyez-vous faire tout seul?...

TOPAZE : Demandez-moi plutôt ce que j'ai fait. Depuis trois mois, chère madame, j'ai travaillé pour moi. J'ai fréquenté des gens intéressants, et j'ai gagné pas mal d'argent. Lorsque le Maroc va donner...

SUZY : C'est sérieux, le Maroc?

TOPAZE : Il n'y a rien de plus sérieux que le Maroc. Concession de cinq mille hectares. Société anonyme. Quatre mille parts de fondateur pour moi. Voyez. *(Il lui donne des papiers, des titres.)* Les titres seront mis sur le marché le mois prochain.

SUZY : Vous travaillez donc avec des ministres?

TOPAZE : Pas encore. Un sénateur, un banquier, un boucher, et la première danseuse du caïd des Beni-Mellal. Ce n'est d'ailleurs pas une affaire malhonnête. Elle comporte des pots-de-vin, comme toutes les affaires coloniales, mais légalement le coup est régulier. Et j'ai d'autres choses en vue.

SUZY : Décidément, vous êtes bien changé.

TOPAZE : A mon avantage?

SUZY : Peut-être, mais pas au mien.

TOPAZE : Comment cela?

SUZY : J'avais des intérêts dans cette agence. En dépouillant Régis, vous me dépouillez. Je touchais huit pour cent des affaires.

TOPAZE : Il ne tient qu'à vous de les conserver.

SUZY : A quel titre?...

TOPAZE : Je vous dois beaucoup. Et puis, j'ai encore besoin de vos conseils.

SUZY : Je vous croyais un grand homme d'affaires?

TOPAZE : Pas tout à fait. Il me manque encore quelque chose.

SUZY : Et quoi donc?

TOPAZE : Le signe éclatant de la réussite. Une maîtresse élégante et connue que je puisse montrer chez les autres, et qui sache recevoir mes amis dans un intérieur de bon goût.

SUZY : Mon cher Topaze, je crois que vous allez un peu vite.

TOPAZE : Et pourquoi, madame?

SUZY : Je sais ce que vaut un Topaze, puisque je sais comment on les fait. C'est pourquoi, malgré vos airs définitifs, je me permets de vous donner ce conseil.

TOPAZE : Mais c'est un conseil que je vous demande : je voudrais votre avis sur le choix que j'ai fait.

SUZY : Si votre choix est fait, il est un peu tard pour me consulter. *(Un temps.)* Qui est-ce?...

TOPAZE : Devinez.

SUZY : Je la connais?

TOPAZE : Fort bien.

SUZY : Brune ou blonde?

TOPAZE : Brune.

SUZY : Petite?

TOPAZE : Moyenne.

SUZY : Jolie?

TOPAZE : Très jolie. Et elle porte la toilette à ravir. Elle avait hier une robe d'un goût exquis. Un manteau de velours rouge bordé de vison clair... Ah oui! Exquise!

SUZY : Oui, mais elle se moque peut-être de vous.

TOPAZE : Qui sait?

SUZY : Elle vous regarde probablement comme un homme sans grand avenir.

TOPAZE : Elle aurait tort.

SUZY : Je vous conseille de faire mieux vos preuves avant de lui adresser des propositions qui pourraient lui déplaire.

TOPAZE : Croyez-vous?

SUZY : Je crois qu'elle vous remettrait à votre place.

TOPAZE : Sur ce point, je crois que vous vous trompez. Je pense que je ferais bien de lui parler le plus tôt possible.

SUZY : Tant pis pour vous.

TOPAZE : Son amant vient de la quitter, et elle n'attend peut-être qu'un mot pour tomber dans mes bras.

SUZY *éclate de rire :* Vous voilà bien fat et bien prétentieux. Essayez donc de dire ce mot.

TOPAZE : J'essaierai.

SUZY : Essayez donc tout de suite, cela me distraira.

TOPAZE : Bien. *(Il prend le téléphone.)* Allô... Passy 43-52.

SUZY : Comment? Odette?

TOPAZE : Le baron Martin l'a quittée hier. Je l'ai rencontrée, nous avons pris le thé ensemble, et il m'a semblé...

SUZY, *elle lui prend le récepteur et le raccroche :* Comme c'est bête! Vous m'estimez donc assez peu pour me jouer une pareille comédie? Qu'espérez-vous?

TOPAZE, *il change brusquement de ton et de visage :* Rien. Que puis-je espérer? Vous m'avez vu trop pauvre et trop niais. Je ne vous gagnerai jamais. Je serai toujours le sympathique idiot.

SUZY, *doucement :* Sympathique.

TOPAZE, *amer :* Mais idiot.

On frappe à la porte du côté de l'appartement,

SUZY : Qu'est-ce que c'est?

Entre le maître d'hôtel.

LE MAITRE D'HOTEL : Monsieur est rentré.

SUZY : Bien.

Le maître d'hôtel se retire.

TOPAZE : N'y allez pas.

SUZY : Il le faut. J'ai des comptes à régler. Des comptes financiers. Il faut que cette rupture soit nette. Quand il sera parti, je vous ferai prévenir.

Elle lui tend sa main qu'il baise avec émotion. Elle sort, avec un sourire presque tendre. Topaze reste seul, paraît triomphant. Entre une dactylo qui lui remet une carte. Il change de visage, il hésite une seconde, puis il dit :

TOPAZE : Faites entrer.

················ *Scène* IV ················

TOPAZE, TAMISE

Entre Tamise. Il est exactement semblable à ce qu'il était au premier acte. Redingote usée, parapluie sous le bras, lorgnon à cordon. Topaze, un peu gêné, mais joyeux, va vers lui.

TOPAZE : Tamise...

TAMISE : Topaze!... (*Ils se tiennent la main. Ils se regardent en riant.*) Tu l'as coupée!

Il montre le menton de Topaze.

TOPAZE : Eh oui... Dans les affaires... Ça me change beaucoup?

TAMISE : Tu as l'air d'un acteur de la Comédie-Française.

TOPAZE : Je suis très content de te voir.

TAMISE : C'est un plaisir que tu aurais eu plus tôt si je n'avais pas trouvé cinq ou six fois porte de bois... Tes dactylos ont dû te le dire... Elles me répondaient toujours : « M. le directeur n'est pas là. » J'avais même fini par m'imaginer que tu ne voulais pas me recevoir... Et je t'avoue que je le trouvais un peu fort.

TOPAZE : Je pense bien! Deux vieux amis comme nous!

TAMISE : Surtout que j'ai quelque chose d'important à te dire.

TOPAZE : Dis-le.

TAMISE, *il s'assoit* : Tu sais que je suis ton ami. Un vieil ami sincère et que je n'ai jamais été indiscret. Mais ce que j'ai à te dire est très grave, puisqu'il s'agit de ta réputation...

TOPAZE : Ma réputation?

TAMISE : Ça me fait de la peine de te le dire. Mais devant moi on a parlé de ton associé comme d'un politicien... taré... et, même, un parfait honnête homme m'a laissé entendre que tu ne l'ignorais pas, et que tu faisais des affaires douteuses.

TOPAZE : Douteuses?

TAMISE : Douteuses. D'ailleurs, ces bruits ont reçu la consécration de la presse... Voici un écho qui m'a été remis par un parfait honnête homme, et qui a paru, il y a fort longtemps, dans un journal des plus sérieux.

Il lui donne un petit bout de papier qu'il sort de son portefeuille. Topaze le prend.

TOPAZE : Eh bien? Quelles sont tes conclusions?

TAMISE : Mon cher, je suis venu t'avertir. Regarde de près les affaires que tu traites avec ce monsieur... Et, d'autre part, écris aux journaux pour les détromper.

TOPAZE : Mon vieux Tamise, je te remercie. Mais je suis parfaitement fixé sur toutes les affaires que j'ai traitées jusqu'ici.

TAMISE, *son visage s'éclaire* : Elles ne sont pas douteuses?

TOPAZE : Pas le moindre doute. Toutes ces affaires sont de simples tripotages, fondés sur le trafic d'influence, la corruption de fonctionnaires et la prévarication.

Tamise, ahuri, le regarde. Puis il éclate d'un rire énorme et confiant.

TAMISE : Sacré Topaze!

TOPAZE : Je ne plaisante pas.

TAMISE *rit de plus belle* : Tu me donnes une leçon... mais j'avoue que je l'ai méritée... Que veux-tu! On m'avait dit ça avec tant d'assurance. Et ce journal. *(Il regarde Topaze en riant et finit par dire.)* Et puis, je ne sais pas si c'est parce que tu as tellement l'air d'un acteur, mais j'ai presque failli te croire!

TOPAZE : Mais il faut me croire! Tout ce que j'ai fait jusqu'ici tombe sous le coup de la loi. Si la société était bien faite, je serais en prison.

TAMISE : Que dis-tu?

TOPAZE : La simple vérité.

TAMISE : Tu as perdu la raison?

TOPAZE : Du tout.

TAMISE *se lève en tremblant* : Quoi! C'est donc vrai? Tu es devenu malhonnête?

TOPAZE : Tamise, mon bon ami, ne me regarde pas avec horreur, et laisse-moi me défendre avant de me condamner...

TAMISE : Toi! Toi qui étais une conscience, toi qui poussais le scrupule jusqu'à la manie...

TOPAZE : Je puis dire que pendant dix ans, de toutes mes forces, de tout mon courage, de toute ma foi, j'ai accompli ma tâche de mon mieux avec le désir d'être utile. Pendant dix ans, on m'a donné huit cent cinquante francs par mois. Et un jour, parce que je n'avais pas compris qu'il me demandait une injustice, l'honnête Muche m'a fichu à la porte. Je t'expliquerai quelque jour comment mon destin m'a conduit ici, et comment j'ai fait, malgré moi, plusieurs affaires illégales. Sache qu'au moment où j'attendais avec angoisse le châtiment, on m'a donné la récompense que mon humble dévouement n'avait pu obtenir : les palmes.

TAMISE, *ému* : Tu les as?

TOPAZE : Oui, et toi?

TAMISE : Pas encore.

TOPAZE : Tu le vois, mon pauvre Tamise. Je suis sorti du droit chemin, et je suis riche et respecté.

TAMISE : Sophisme. Tu es respecté parce qu'on ignore ton indignité.

TOPAZE : Je l'ai cru, mais ce n'est pas vrai. Tu parlais tout à l'heure d'un parfait honnête homme qui t'a renseigné. Je parie que c'est Muche?

TAMISE : Oui, et si tu l'entendais s'exprimer sur ton compte, tu rougirais.

TOPAZE : Ce parfait honnête homme est venu me voir. Je lui ai dit la vérité. Il m'a offert un faux témoignage, la main de sa fille, et la présidence de la distribution des prix.

TAMISE : La présidence... Mais pourquoi?

TOPAZE : Parce que j'ai de l'argent.

TAMISE : Et tu t'imagines que pour de l'argent...

TOPAZE : Mais oui, pauvre enfant que tu es... Ce journal, champion de la morale, ne voulait que vingt-cinq mille francs. Ah! l'argent... Tu n'en connais pas la valeur... Mais ouvre les yeux, regarde la vie, regarde tes contemporains... L'argent peut tout, il permet tout, il donne tout... Si je veux une maison moderne, une fausse dent invisible, la permission de faire gras le vendredi, mon éloge dans les journaux ou une femme dans mon lit, l'obtiendrai-je par des prières, le dévouement, ou la vertu? Il ne faut qu'entrouvrir ce coffre et dire un petit mot : « Combien? » *(Il a pris dans le coffre une liasse de billets.)* Regarde ces billets de banque, ils peuvent tenir dans ma poche, mais ils prendront la forme et la couleur de mon désir. Confort, beauté, santé, amour, honneurs, puissance, je tiens tout cela dans ma main... Tu t'effares, mon pauvre Tamise, mais je vais te dire un secret : malgré les rêveurs, malgré les poètes et peut-être malgré mon cœur, j'ai appris la grande leçon : Tamise, les hommes ne sont pas bons. C'est la force qui gouverne le monde, et ces petits rectangles de papier bruissant, voilà la forme moderne de la force.

TAMISE : Il est heureux que tu aies quitté l'enseignement, car si tu redevenais professeur de morale...

TOPAZE : Sais-tu ce que je dirais à mes élèves? *(Il s'adresse soudain à sa classe du premier acte.)* « Mes enfants, les proverbes que vous voyez au mur de cette classe correspondaient peut-être jadis à une réalité disparue. Aujourd'hui on dirait qu'ils ne servent qu'à lancer la foule sur une fausse piste, pendant que les malins se partagent la proie; si bien qu'à notre époque, le mépris des proverbes, c'est le commencement de la fortune... » Si tes professeurs avaient eu la moindre idée des réalités, voilà ce qu'ils t'auraient enseigné, et tu ne serais pas maintenant un pauvre bougre.

TAMISE : Mon cher, je suis peut-être bougre, mais je ne suis pas pauvre.

TOPAZE : Toi? Tu es pauvre au point de ne pas le savoir.

TAMISE : Allons, allons... Je n'ai pas les moyens de me payer beaucoup de plaisirs matériels, mais ce sont les plus bas.

TOPAZE : Encore une blague bien consolante! Les riches sont bien généreux avec les intellectuels : ils nous laissent les joies de l'étude, l'honneur du travail, la sainte volupté du devoir accompli; ils ne gardent pour eux que les plaisirs de second ordre, tels que caviar, salmis de perdrix, Rolls-Royce, champagne et chauffage central au sein de la dangereuse oisiveté!

TAMISE : Tu sais pourtant que je suis très heureux!

TOPAZE : Tu pourrais l'être mille fois plus, si tu pouvais jouir du progrès. Et pourtant, le progrès, ceux qui l'ont permis, ce sont les gens à grosse tête, les gens comme toi.

TAMISE : Allons donc... Tu sais bien que je n'ai rien inventé.

TOPAZE : Je le sais bien... Tu n'es pas un de ceux qui nourrissent la flamme, mais tu la protèges de tes pauvres mains, et j'ai la rage au cœur de les voir pleines d'engelures, parce que tu n'as jamais pu te payer ces gants de peau grise fourrée de lapin que tu regardes depuis trois ans dans la vitrine d'un magasin.

TAMISE : C'est vrai. Mais ils coûtent soixante francs. Je ne puis pourtant pas les voler.

TOPAZE : Mais c'est à toi qu'on les vole, puisque tu les mérites et que tu ne les as pas! Gagne donc de l'argent!

TAMISE : Comme toi? Merci bien. Et puis, moi, je n'ai pas les mêmes motifs.

TOPAZE : Quels motifs?

TAMISE : Toutes ces théories, je vois très bien d'où elles viennent. Tu aimes une femme qui te demande de l'argent...

TOPAZE : Elle a raison.

TAMISE : Je te l'avais bien dit, Topaze. C'est une chanteuse... Et peut-être une chanteuse qui ne chante même pas... Ça coûte cher.

TOPAZE : Tu as vu des femmes qui aiment les pauvres?

TAMISE : Tu ne vas pourtant pas dire qu'elles font toutes le même calcul?

TOPAZE : Non. Je dis qu'en général, elles préfèrent les hommes qui ont de l'argent, ou qui sont capables d'en gagner... Et c'est naturel. Aux temps préhistoriques, pendant que les hommes dépeçaient la bête abattue et s'en disputaient les lambeaux, les femmes regardaient de loin... Et quand les mâles se dispersaient, en emportant chacun sa part, sais-tu ce que faisaient les femmes? Elles suivaient amoureusement celui qui avait le plus gros bifteck.

TAMISE : Allons, Topaze, tu blasphèmes... Et puis, même si tu as raison, je ne veux pas te croire... Topaze, si tu n'es pas complètement pourri, fais un effort... Sauve-toi... Quitte cette femme qui t'a perdu, viens, pars tout de suite avec moi...

TOPAZE : Tu es fou, mon bon Tamise... Ce n'est pas moi qu'il faut sauver. C'est toi. Veux-tu quitter la pension Muche?... Veux-tu travailler avec moi?

TAMISE : Quand tu feras des affaires honnêtes.

TOPAZE : Celles que je ferai désormais le seront, mais pas pour toi. Pour gagner de l'argent, il faut bien le prendre à quelqu'un...

TAMISE : Mais, à ce compte, il n'y aurait plus d'honnêtes gens.

TOPAZE : Si. Il reste toi. Viens demain me voir, et nous étudierons la possibilité de changer ça.

TAMISE : Ah non!... Surtout s'il ne reste plus que moi. Ils me feront peut-être une pension.

La porte s'ouvre, Suzy paraît.

SUZY : Vous êtes occupé? Je vous attends. Régis est parti.

Elle sourit, elle sort. Un silence.

TAMISE : C'est cette Dalila qui t'a rasé le poil... Elle est belle.

TOPAZE : Écoute, peux-tu venir me voir demain matin?

TAMISE : Oui, c'est jeudi.

TOPAZE : Eh bien, à demain, mon vieux, excuse-moi...

TAMISE, *avec une grande indulgence* : Va, je t'excuse...

Topaze sort. Tamise, resté seul, regarde le bureau. Il hoche la tête. Il essaie les fauteuils de cuir, puis il va s'asseoir au bureau de Topaze, dans une attitude qu'il croit être celle d'un homme d'affaires. Brusquement, à côté de lui, le téléphone sonne. Il tressaille, il se lève d'un bond. Entre une dactylo. Elle prend le récepteur.

LA DACTYLO : Oui, monsieur le ministre... *(Tamise, automatiquement, ôte son chapeau.)* Non, monsieur le ministre, M. le directeur est sorti... Demain matin, monsieur le ministre. Bien, monsieur le ministre...

Elle raccroche et elle inscrit la communication sur un bloc-notes.

TAMISE : Dites donc, mademoiselle, il y a ici un personnel assez nombreux?

LA DACTYLO : Cinq dactylos.

TAMISE : Et... qui est le secrétaire de M. le directeur?

LA DACTYLO : Il n'en a pas.

TAMISE : Ah? Il n'a pas de secrétaire?

Et pendant qu'elle met de l'ordre sur le bureau, Tamise sort, pensif, pendant que le rideau descend.

Rideau

NOTES

The figures refer to pages. Words and phrases which appear in *Harrap's New Shorter French and English Dictionary* are not normally listed here. *F: = familiar, colloquial.*

1. **André Antoine:** (1858–1943), actor, director and founder of the Théâtre Libre (1887). Since Antoine had helped Pagnol find a theatre for *Jazz* and was instrumental in persuading Max Maurey to stage *Topaze,* it was only natural that Pagnol should dedicate this new play to him.

3. **images anti-alcooliques:** Part of the long-standing campaign against alcoholism. In *La Gloire de mon Père* (Harrap, p. 23), Pagnol described "ces tableaux effrayants qui tapissaient les murs des classes. On y voyait des foies rougeâtres et si parfaitement méconnaissables (à cause de leurs boursouflures vertes et de leurs étranglements violets qui leur donnaient la forme d'un topinambour), que l'artiste avait dû peindre à côté d'eux le foie appétissant du bon citoyen, dont la masse harmonieuse et le rouge nourrissant permettaient de mesurer la gravité de la catastrophe voisine..."

    pavés: cobblestones of historical interest (e.g. bits of Roman paving) with explanatory labels.

    boisseau: a cylindrical container with a capacity of 8 gallons used for measuring corn, fruit and other dry goods.

4. **redingote... boutons:** 'a worn frock-coat, button boots.'

    moutonsse: Topaze helps his pupil by pronouncing silent consonants.

5. **le tambour va rouler:** The school *appariteur* (usher) signalled the beginning and end of lessons by beating a drum on a rostrum.

6. **vous aider?:** 'Help you? But had I sought such a favour, would you have granted it to me?' The nervous Topaze has become foolishly gallant and comically pedantic. Like M. Pons, a teacher at the Lycée Thiers whom Pagnol recalled in *Pirouettes* (p. 9), Topaze "ne méprisait point l'imparfait du subjonctif."

146

beau parleur: Topaze's foolishness is already well established and Ernestine's mockery is not lost on us.

8. **revenons à nos moutonsse:** This expression occurs in Rabelais' *Pantagruel* in the digressive tale of "les moutons de Panurge" and it has come to mean "let us return to the subject". Since the subject of the dictation is sheep, Topaze inadvertently makes a joke.

col cassé: 'wing collar.'

9. **tenus de verser:** 'will be required to pay the management...'

une génération spontanée: Before Pasteur, it was widely believed that certain forms of life emerged spontaneously from matter. Muche's sarcasm here is a part of his normal technique of diverting attention from the point at issue – as he will shortly turn the recruitment of seven pupils into "un grand service rendu à sept familles".

10. **immuable:** 'fixed', 'unalterable.'

putois: 'polecat.'

bibliothèque de fantaisie: 'It's the Book Corner, headmaster. I am in the process, whenever I have a few moments to spare, of taking stock.'

un ouvrage aurait-il disparu?: 'Is there a book missing perhaps?' The conditional and conditional perfect tenses are frequently used to indicate probability.

11. **la République:** the Third Republic (1870–1940). Of course, Muche has not turned away such an obvious "sujet d'élite" and lies to keep the upper hand over Topaze.

une particule: The "particule" was *de* and was an indication of high social rank, usually landed nobility.

12. **Forfait de trente francs...:** 'A fine of thirty francs for minor damage to school property, such as ink blots, names carved on desks, writing on lavatory walls... Not forgetting six francs per month for insurance against normal school risks, including sprains, dislocations, fractures, outbreaks of scarlet fever, mumps and pokes in the eye with a pen.'

13. **les palmes académiques:** An honorary award instituted by Napoleon in 1808 in recognition of outstanding service to education and the arts. There are three grades: *commandeur, officier* (formerly *officier de l'instruction publique*) and *chevalier* (formerly *officier d'académie*). A medal is presented: an oval of crossed palm leaves under a purple ribbon. This is the "ruban" to which Muche later refers.

M. l'Inspecteur d'Académie: Though national policy is decided by central government, French education is now managed by twenty-three regional authorities, called *académies,* each having a university whose head (*recteur*) is also the *recteur d'académie.* The *inspecteurs d'académie* are appointed centrally but work under the *recteur.* They have general inspection duties but are also involved in the appointment and promotion of teachers. The *inspecteur* was the *instituteur*'s immediate contact with the hierarchy and was much respected and sometimes feared.

14. **le même tailleur:** i.e. he too is badly dressed.

    parlant à sa personne: 'talking to him in the flesh to his face.' A turn of phrase which catches Topaze's pompous mood.

15. **la pointe des pieds retroussée...:** 'with his toes turned up (i.e. he walks on his heels). The brim of his straw hat is crumpled...'

    cigarette fripée: 'battered cigarette.'

16. **passa:** All editions have the past historic tense here, though the present tense is required.

17. **des procédés de Borgia:** The Borgia family, which included two of the most corrupt and dissolute Popes of Renaissance Italy, was notorious for its abuse of power and the ruthless suppression of its enemies.

    gueules de pions: 'if we hadn't been born with "junior master" stamped all over our faces.' The *pion* was the lowliest teaching rank and carried many supervisory duties; the word is used here, as elsewhere, as a term of contempt.

    brevet: the *brevet supérieur.* See Introduction, p.

18. **brevet élémentaire:** See Introduction, p.

    grand pendard: 'lanky scruff.'

20. **mappemonde Vidal-Lablache:** Paul Vidal de La Blache (1845–1918), famous French geographer. His *mappemonde,* which was extensively used in schools, was a map of the world showing eastern and western hemispheres independently.

    je lui en ai dit de raides: 'I spoke to him quite bluntly...'

21. **Joseph:** The Book of Genesis relates that Joseph, son of Jacob, was sold by his brothers and led into slavery in Egypt where he rose to a position of great power. Tamise evidently believes that Topaze is staggeringly ambitious.

23. **Mille et Une Nuits:** *The Arabian Nights,* a collection of early medieval tales of imagination, long since synonymous in the Western mind with luxury and sensuality.

24. **Légion d'honneur:** A decoration for civil and military service created by Napoleon in 1802. There are five grades of

which *Chevalier* is the lowest. The rosette is purple and is worn on the lapel.

voix d'eunuque: 'high-pitched voice.'

25. **souvent on imagine les choses...:** The irony of Topaze's remark is not lost: his impression of Suzy is based upon imagination, not reality.

26. **la bouche enfarinée:** smooth and fulsome.

28. **des belles dames:** Ernestine's careless grammar contrasts with Topaze's pedantic use of language.

31. **Un terrible roulement...:** A deafening signal (for the resumption of classes) reverberates around the four walls of the cubicle.

    formidable oignon: i.e. his watch (see p. 5).

32. **Sieur:** *'sieur* and *M'sieur* are abbreviations of *Monsieur*.

33. **emmitouflé de cache-nez:** 'muffled in scarves.'

    bas à grosses côtes: 'thick-ribbed stockings.'

    blouse: 'school overall.'

34. **une ritournelle de boîte à musique:** 'a jolly burst on the musical box.'

35. **quoi qu'il fasse, où qu'il aille:** 'whatever he does, wherever he goes.'

36. **badine:** 'cane.'

37. **un moulinet à musique:** musical box with a handle.

40. **Errare humanum est...:** 'To err is human; to persist in error is to do the devil's work.' Muche cheerfully amends the proverb ('... to forgive divine') to suit his purposes.

44. **un facies terreux:** 'he has an unhealthy look about him.'

45. **une hérédité chargée:** 'a tainted heredity.'

    ce galvaudeux mal embouché: 'this foul-mouthed wretch.'

    pion galeux: 'lying school teacher.'

    crève-la-faim: 'starveling.'

    séance tenante: 'forthwith.'

48. **Ex abrupto:** 'abruptly.'

    Muche égale salaud: 'Muche equals swine.'

    médusé: 'bewildered.'

50. **le bandeau tombe...:** 'When the scales fall from eyes which open at last...'

51. **manchettes de lustrine:** Oversleeves of a shiny black material, elasticated at the elbow, used by assistant masters, junior office staff, etc., to protect the elbows and cuffs of jackets.

    composition de morale: By making Topaze cancel the class test, Pagnol neatly equates his dismissal with the defeat of goodness. For the same reason, Topaze removes the squirrel, a traditional symbol of inoffensiveness, but leaves the polecat which belongs to that category of "ravageurs de la basse-cour" (see p. 10) of which Muche, Ernestine and the Baroness are further examples.

53. **mon chéri:** The masculine form indicates quite clearly the closeness of their relationship.

Minouche: 'my pet.'

maire: References in the text to Parisian landmarks make it clear that the play is set in the capital – which, however, was not allowed to have a mayor until the law of 31 December 1975. Castel-Bénac here refers to one of the twenty *maires d'arrondissement* "nommés par le Ministre de l'Intérieur pour remplir, sous la direction du Préfet de Paris, certaines tâches administratives: état civil (y compris la célébration des mariages civils), recensement de jeunes gens qui doivent partir au service militaire, organisation des élections, présidence du bureau d'aide sociale, présidence de la caisse des écoles" (Howard Evans, *L'Administration locale,* Oliver and Boyd, Edinburgh, 1973, p. 69).

balayeuses automobiles: 'motor street-sweepers.'

54. **cette façon de mettre les urinoirs dans la conversation:** Suzy is more scandalised by crude words than by immoral actions.

billets: i.e. thousand-franc notes.

Ecoute, coco...: 'Listen, sweetie, just now all my money is tied up.'

Un million pour le brut: 'A million gross, but it will involve heavy expenses.'

délibérations du Conseil: resolutions taken by the Council.

55. **à l'œil:** 'that there was nothing in it for me.'

j'y suis de ma poche: 'I'm out of pocket.'

Son démarreur était coincé...: 'His self-starter was jammed, he tried to get it going by hand and the starting handle kicked back on him.'

vous êtes roulé: 'you've been had.'

tu n'y couperais pas: 'you'd be had for 35%.'

57. **bobo:** *F:* 'knock.'

le décollement de l'olécrâne: 'My dislocated olecranon (part of the elbow) is coming along nicely...'

casier judiciaire: the police record which is part of the personal file (*état civil*) of each French citizen.

58. **costume de la distribution des prix:** the suit he wears on speech days.

Notes

59. **sur un quart de fesse:** i.e. 'shyly.'
60. **les chœurs de la chapelle Sixtine:** The Sistine Chapel in the Vatican, founded by Pope Sixtus IV and decorated by the greatest artists of the Renaissance.
61. **ces Alexandra:** a smart cocktail named after Queen Alexandra, wife of Edward VII of England (1901–1910).
62. **La particule a sa valeur:** See second note to p. 11. Like Muche, Roger and company know the commercial value of a title.
63. **du cercle de la rue Gay-Lussac:** 'of my club in the rue Gay-Lussac' (which runs from the Luxembourg Gardens to the *Hôpital du Val-de-Grâce* in the fifth *arrondissement* in Paris).

    à flot: 'It was I who launched you.'
64. **le bec dans l'eau:** 'I have played him along.'
65. **le machinisme:** *mécanisation.*
67. **d'autres prête-noms:** 'figureheads' 'front-men.' Castel-Bénac explains the functions of the *homme de paille* on p. 68.

    Tananarive: Capital of Madagascar.

    Il est brûlé!: 'He's lost his credibility!'

    Wagram 86–02: A Paris telephone number, like Passy 43–52 (p. 137).

    Porcheries du Maroc: Another of Castel-Bénac's marvellous swindles. Establishing piggeries in a Moslem country (where the eating of the flesh of swine is forbidden by religion) sounds as likely as exporting snowploughs to the Sahara.
68. **il a de l'entregent:** 'he's a clever operator.'

    ça nous fera la bouche fraîche: 'it will keep our breath sweet.'
70. **l'air du Jeune Homme Pauvre:** An allusion to *Le Roman d'un jeune homme pauvre* (1858), Octave Feuillet's romantic and moralistic novel. The orphaned hero nobly allows the equally noble heroine (whom he loves) to inherit the fortune which is rightly his. But virtue is rewarded: he unexpectedly acquires vast riches which enable him to marry her after all.
71. **marchand de soupe:** *F:* '... head of some third-rate boarding school.'
72. **inemployé:** 'not being used'. A polite way of saying that Topaze is unemployed (*en chômage*).
73. **c'est fort, ce vin!:** A detail which captures Topaze's social disorientation: what he calls 'wine' is in fact a strong cocktail.

    nous en sommes tous là: 'that applies to all of us.'

76. **papiers d'état civil:** See note to p. 57, *casier judiciaire.*
77. **Faites-moi marcher:** A pun. *Faire marcher* means both 'to exploit' and 'to set in motion'. Topaze's innocent request to be 'set to work' is also the bleat of the lamb that is led to the slaughter.
78. **mais je n'en suis pas encore là:** 'I have not come to that yet.'
81. **une bien bonne:** i.e. *une bonne histoire.* Like someone who has just told 'a good 'un'.
82. **en correctionnelle:** *F:* for *le tribunal correctionnel;* '. . . who no doubt will see you in court one of these days.'
    manger le morceau: 'inform,' 'squeal,' 'sing.'
83. **prévarication:** a swindle.
    éclairer votre lanterne: *F:* ` 'to explain the situation.'
84. **repêcher:** 'to retrieve.'
85. **Lessivé!:** 'That's settled him!'
86. **procureur de la République:** 'public prosecutor.'
    s'il s'est piqué des hannetons: '. . . that if he's got any strange ideas. . .' *Cf. F: avoir un hanneton dans le plafond,* 'to have a screw loose,' 'to have bats in the belfry.'
88. **ce douloureux roman:** 'this sad tale.'
90. **cornélien:** Topaze the teacher finds in his present predicament an echo of the conflict between love and duty which forms the basis of the tragedies of Pierre Corneille (1606–1684).
92. **à monture d'écaille:** 'hornrim.'
    entrebaîlle: 'half-opens.'
94. **un Pernod:** a strong, aniseed-flavoured apéritif.
95. **vous prenez donc ma bonté pour de la faiblesse?:** Compare Topaze's earlier outburst, p. 37.
    L'œil était dans la tombe et regardait Caïn: Last line of Victor Hugo's celebrated poem, 'La Conscience' (*La Légende des Siècles,* 1ère Série, 1859). Caïn, the murderer of Abel, flees the eye of God which pursues him relentlessly, even to the grave. Topaze is less troubled by religious doubts than by a mixture of fear and remorse. His 'Cornelian' moment has passed and he is now the prey of his conscience.
    'La Conscience publique': Topaze's fears suddenly assume a tangible shape in the name of this newspaper which, as we shall see, is far from being an honest guardian of the public conscience.
96. **Vous dînez avec moi:** 'you are to dine with me.'
97. **Qu'on vous le cachât:** Even when his spirits are at their lowest ebb, Topaze cannot refrain from correcting Suzy's grammar. The imperfect subjunctive is correct, but pedan-

tic, and Pagnol uses it to reinforce the point that Topaze, in spite of his surroundings, has not changed.

99. **en lettres nickelées:** 'in nickel (-plated) lettering.' Nickel plating has largely been superseded by chrome.

101. **Comme toutes les femmes:** Suzy's cynicism contrasts strikingly with Topaze's respectful view of women and love.

l'argent ne fait pas le bonheur: Topaze's weak protest follows his confident proclamation in Act I (p. 35) and his admission that 'on est tout de même content d'en avoir' in Act II (p. 72); it precedes the final revelation of Act IV: "L'argent peut tout, il permet tout, il donne tout" (p. 141).

mais il l'achète à ceux qui le font: 'but it buys it (happiness) for those who make it (money).' Pagnol's phrasing is a little clumsy here, though his meaning is perfectly clear.

102. **mettons les choses au point:** 'let's get things clear.'

la noble ... stupiditè de mon père: Suzy contemptuously dismisses the values of the older generation – just as Ernestine has rejected Muche. Topaze will reach a similar conclusion: "les proverbes... correspondaient peut-être jadis à une réalité disparue" (p. 141).

103. **une gueule d'enterrement:** 'a face like a funeral.'

Vespasien: Vespasian, tenth of the twelve Cæsars, Emperor of Rome (70–79 A.D.). He oversaw a programme of building which included, among others, the start of the Coliseum and the provision of public latrines. Hence *la vespasienne*, the name popularly given in the 1830s to the new street urinals instituted through the efforts of Claude-Philibert de Rambuteau (1781–1869) who, as Prefect of the Seine area, also introduced gas lamps to the streets of Paris.

105. **il se fera:** 'he'll get used to it.'

J'ai mes fiches: i.e. a file of incriminating evidence which he will shortly use to ward off Vernickel.

108. **il y a de l'eau dans le gaz:** 'the game's up.'

lâche cet os: 'let it drop.'

fait: 'done for.'

concussion: 'misappropriation' (of funds).

après avoir fait voter un crédit important: 'having engineered the voting of a large sum of money...'

révoqué pour une affaire de mœurs: 'dismissed for immoral conduct.'

aurait fourni: In journalism especially, the conditional perfect tense has the force of 'alleged', 'allegedly'. See also fourth note to p. 10.

109. **Il est impossible que le châtiment ne vienne pas:**

Topaze

Topaze's reaction is still that of the teacher who told his class that "le mal reçoit une punition immédiate" (see pp. 34–5).

110. **soye:** *F: = soit.*
 Pas de gaffe, qué: *F:* 'Don't do anything stupid, mind'. *Qué = quoi.*
111. **fantaisie:** 'licence,' 'latitude.'
113. **c'est un enterrement de première classe:** Topaze believes that the gesture required of him is suicide; the *vénérable vieillard* simply means that if Topaze is prepared to pay, the matter will be buried. The misunderstanding, based on a series of puns, continues with *exécuter* = (i) 'to execute (a criminal),' (ii) 'to carry (something) out'; and *râler* = (i) 'to be at death's door,' (ii) 'to make a fuss,' 'protest'.
114. **Panama:** The collapse of the Panama Canal Company in November 1892 precipitated a number of scandals which included the bribery of politicians and the blackmail of prominent public figures.
117. **conseil de discipline:** a meeting of members of staff to discuss matters affecting the work of the school and to review the academic progress of pupils.
 de vous offrir la présidence de la distribution des prix: 'to invite you to give out the prizes on speech day.'
120. **les cheveux coupés à la garçonne:** i.e. in an Eton crop.
122. **la promotion:** 'honours list.'
 Oran: An important Algerian seaport. The idea is that Topaze should go away as far as possible.
 le quart colonial: the 25% supplementary allowance paid to French civil servants working abroad.
 nu et cru: 'out on your ear', 'without a penny.'
123. **chez Maxim's:** One of the most famous – and expensive – restaurants in Paris.
124. **Le ministre de l'Instruction publique:** Now, *le ministre de l'Education nationale.*
125. **la mine assez grise:** 'looking anything but pleased.'
126. **Vous ignorez que vous faites une affaire...?:** 'You can't really be unaware that you are setting up a deal involving land concessions in Morocco...'
128. **les grandes nourritures:** 'fine food.'
 il a cassé la gueule à la bonne: 'he bashed the maid.'
 c'est de l'inconscience: 'he has no idea what he's about.'
130. **bénéfice net:** 'clear profit.'
 Merci: 'No thanks.' *Merci* often indicates refusal; *merci bien* or *oui, merci* are normally required to indicate acceptance.

132. **vous n'êtes qu'un bricoleur:** 'you're strictly amateur.'
C'est le coup de chimpanzé: 'It's just like that business with the chimp.' By comparing Topaze with a monkey – clearly he has ceased to resemble the self-effacing squirrel of Act One (see note to p. 51, composition de morale) – Pagnol underlines his view that society is closer to the natural world than we think and that the survival of the fittest takes precedence over traditional moral values.
c'est vous qui faites le coup: 'you are behind this.'

133. **de ce pas:** 'directly.'

134. **(coup) D'autorité:** 'show of authority.'

135. **le Maroc:** i.e. *l'affaire du Maroc.*
Société anonyme...: 'Limited Liability Company. Four thousand founder's shares for me.'
Caïd: Kaid, Arab chief (in Algeria).

138. **un acteur de la Comédie-Française:** The *Comédie-Française,* France's national theatre, was founded in 1680 and now occupies part of the Palais-Royal. Tamise's comment neatly captures the unreality of Topaze's success (Suzy has also noted that he has begun to "jouer la comédie") and is at the same time a jibe by Pagnol at the exclusiveness of the *Théâtre Français.*

139. **porte de bois:** 'if I hadn't found your door closed to me on five or six occasions.'
je suis parfaitement fixé sur...: 'I have no doubts whatsoever about...'

140. **sous le coup de la loi:** 'has been illegal.'
Si la société était bien faite...: Topaze has finally rejected his naive assumptions about society: compare pp. 34–5, 109.

141. **Je suis sorti du droit chemin:** Another echo of Topaze's earlier sentiments.

143. **salmis de perdrix:** a kind of ragoût of roast partridge.
la dangereuse oisiveté: Idleness is defined ironically as dangerous because it is 'la mère de tous les vices.'
à grosse tête: 'with brains.'

144. **Dalila:** Delilah deprived Samson of his strength by cutting off his hair. Tamise's moral judgments still derive from the stricter lessons of the Old Testament (see note to p. 21).

145. **c'est jeudi:** Tamise will be free since, until recently, Thursday was a holiday in French schools.